équipe nouvelle 2

livre de l'étudiant

Danièle Bourdais
Sue Finnie
Anna Lise Gordon

OXFORD
UNIVERSITY PRESS

Table des matières

Bienvenue à Équipe nouvelle 2!

Symbols and headings you'll find in the book: what do they mean?

a listening activity

a speaking activity

a reading activity

a writing activity

an activity to be done in English

a starter activity

Expressions-clés
useful expressions

Mots-clés
useful words

Zoom grammaire:
an explanation of how French works

➡ 000 — refer to this page in the grammar section at the back of the book

Guide pratique
strategies to help you learn

Ça se dit comme ça!
pronunciation practice

some or all items in the box are recorded.

cultural information

plenary activities at three levels

Super-challenge	activities to extend the language of each unit
Vocabulaire	unit vocabulary lists
Podium	bilingual unit checklists
Révisions	activities to revise the language of the previous two units
Encore	reinforcement activities
En plus	extension activities
Point lecture	reading pages
Grammaire	grammar reference
Glossaire	bilingual glossary of language used in the Students' Book

Some common instructions used in the Students' Book

Écoute et lis.	*Listen and read.*
Relis. Réécoute.	*Re-read. Listen again.*
Écoute et vérifie.	*Listen and check.*
Regarde. Trouve.	*Look at. Find.*
Dis. Parle.	*Say. Talk.*
Traduis en anglais.	*Translate into English.*
Pose les questions.	*Ask the questions.*
Recopie et complète.	*Copy and complete.*
Devine. Échange.	*Guess. Swap.*
Réponds aux questions.	*Answer the questions.*
Écris.	*Write.*
Répète et imite.	*Repeat and imitate.*
Jeu de mémoire.	*Memory game.*
Trouve l'intrus.	*Find the odd-one-out.*
Choisis. Décris.	*Choose. Describe.*
Relie.	*Match up.*
Fais un sondage.	*Do a survey.*
Invente.	*Invent.*
Vrai ou faux?	*True or false?*
Pourquoi?	*Why? (Give reasons.)*
Donne ton opinion.	*Give your opinion.*
Ferme le livre.	*Close your book.*

1 Mode ado

- **Contexts**: self; clothes
- **Grammar**: revision of present tense of *-er* verbs, *être* and *avoir*; present tense of *mettre*; revision of adjectives (gender agreement/position); revision of *mon, ma, mes*; *ton, ta, tes*/*son, sa, ses*; comparison
- **Language learning**: questions; giving opinions; using connectives (*parce que, quand*)
- **Pronunciation**: *ch, s/ss,* nasal *an/on*; *un/une*
- **Cultural focus**: Quebec; women's fashion in the 20th century

L'équipe, c'est qui? C'est quatre amis de la rue des Lilas, à Dieppe.

Salut! Je m'appelle Arnaud Darriet. J'habite à Dieppe. J'ai un demi-frère et une sœur, et j'ai un chien qui s'appelle Hot-dog.

Moi, je m'appelle Natacha Delanoé. J'ai quinze ans. Mon anniversaire, c'est le 8 mai.

Je m'appelle Matthieu Brière. J'ai quinze ans. Mon anniversaire, c'est le 31 janvier. J'habite avec mon père.

Bonjour. Je suis Juliette Frontelli. J'ai seize ans. J'habite à Dieppe avec ma grand-mère parce que mon père est au Canada.

ÉCOUTER
1a
LIRE

Écoute et lis. C'est qui?

a Elle a 15 ans.
b Il a un animal.
c Elle n'habite pas avec son père.
d Il a 15 ans.
e Son anniversaire est en hiver.

PARLER
1b

A dit une phrase, B dit la personne.

Exemple A: J'habite avec ma grand-mère.
B: C'est Juliette.

PARLER
2
ÉCRIRE

Remue-méninges à deux. Vous souvenez-vous d'autre chose sur les quatre personnages?

Brainstorm with a partner. Can you remember any other details about the four friends from *Équipe nouvelle 1*?

1.1 Je me présente

- Revise how to introduce and describe yourself and someone else
- Say your nationality
- Revise the present tense of *être*
- Revise how to ask questions

À vos marques

a Trouve une réponse pour chaque question.
Tu as 20 secondes!
Exemple **1 b**
b Écoute et vérifie.
c Traduis en anglais.

1 Tu t'appelles comment?
2 Tu as quel âge?
3 Tu habites où?
4 Qu'est-ce que tu fais le week-end?
5 Tu es comment?
6 Tu es de quelle nationalité?

a Je suis français.
b Je m'appelle Alex.
c J'écoute de la musique et je fais du sport.
d J'ai treize ans.
e Je suis grand et blond.
f J'habite dans le sud de la France.

Pose les questions d'À vos marques à un(e) partenaire. Il/Elle répond.

Guide pratique

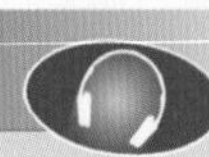

Questions

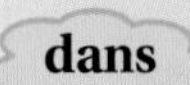

1 Which is the odd-one-out?
2 How many French question words can you list?

- To change a statement to a question: raise your voice at the end, or add **est-ce que** to the start.

3 Listen and repeat with the correct intonation.
a Elle est française?
b Ton frère est petit?
c Est-ce qu'elle est française?
d Est-ce que ton frère est petit?

Expressions-clés

Je suis
Il est
Elle est

français/française 
anglais/anglaise 
écossais/écossaise 
gallois/galloise 
irlandais/irlandaise 

ZOOM grammaire: être

je suis – I am
tu es – you are
il/elle est – he/she/it is
on est – we are (*informal*)
nous sommes – we are
vous êtes – you are
ils/elles sont – they are

1 Why is the verb **être** (to be) important?
2 Copy and complete this song. Replace *** with a form of **être** and ? with your nationality.

Il *** français, il *** français.
Elle *** française, elle *** française.
Française! Française!
Je *** ?, je *** ?

Elles *** françaises, elles *** françaises.
Ils *** français, ils *** français.
Français! Français!
Nous *** ? Nous *** ?

Tu *** français? Tu *** française?
Vous *** français? Vous *** françaises?
Français! Françaises!
On *** ?

3 Listen to compare. ➡ 139

CONCOURS
Festival Jeunes Talents
1er prix
Une tournée en France et aux Antilles!
Vous avez 15–18 ans?
Venez auditionner
(groupes de 3 ou 4)
Samedi, 15 h – Théâtre de Dieppe
Complétez une fiche d'inscription ou présentez-vous par lettre.

Juliette écrit une lettre au Théâtre pour se présenter pour le Festival Jeunes Talents.

1 Je m'appelle Juliette Frontelli. J'ai seize ans. Mon anniversaire, c'est le 25 février. Je suis française, **mais** mon père est italien.

2 J'habite à Dieppe **avec** ma grand-mère **parce que** ma mère est morte **et** mon père habite au Canada. Ma grand-mère est très gentille et très patiente. J'ai une sœur et un frère. Ils sont à Paris. Dieppe, c'est sympa.

3 Je suis **assez** grande et mince. Je suis brune et j'ai les cheveux courts. Je suis marrante mais assez travailleuse.

4 J'aime le tennis, la natation et l'équitation. **En plus**, mes passe-temps préférés sont regarder la télé, aller au cinéma et écouter de la musique.
Je voudrais participer au festival parce que

2a (LIRE) Lis la lettre. C'est quel paragraphe?

- **a** sa famille
- **b** ses passe-temps
- **c** son âge/sa nationalité
- **d** son apparence/sa personnalité

2b (LIRE) Trouve:

a and	**b** but	**c** because
d quite	**e** with	**f** in addition

2c (ÉCOUTER / ÉCRIRE) Relis la lettre et écoute. Réponds aux dix questions enregistrées.
Exemple **1** 16

2d (ÉCRIRE) Écris six questions sur la lettre de Juliette. Échange avec un(e) partenaire.

3 (ÉCRIRE) Écris une lettre pour Calum ou Shana.

Calum	13
Glasgow	écossais
fils unique	football
patinage	skate

Shana	14
Bradford	anglaise
deux frères	cinéma
vélo	danse

Ça se dit comme ça!

Sound–spelling links

- Your knowledge of how some French words are pronounced can help you pronounce new words.

1 Try pronouncing these, then listen to check:
- **a** **chemise** (think of **chien** and **grise**)
- **b** **pantalon** (think of **anglais** and **mon**)
- **c** **chaussettes** (think of **chien**, **au**, **assez** and **Juliette**)

2a Say this tongue-twister quickly three times:

J'ai ma chemise, mes chaussettes et mon pantalon.

2b Listen to check.

Challenge!

A Écris cinq phrases pour te présenter.

B Ferme le livre et écris cinq phrases sur Juliette, de mémoire.

C Jeu de rôle: A est candidat(e) au Festival Jeunes Talents, B est le producteur/la productrice. Imaginez l'interview.

1.2 Ma tenue préférée

- Describe clothes and colours
- Say what you're wearing and what your favourite clothes are
- Revise gender, adjectival agreement and position
- Revise the present tense of *avoir*

À vos marques

Trouve l'intrus et dis pourquoi.

a blonde rousse brune mince

b anglais français gallois écossais

c blanc sandales rouge jaune

1a Lis et écoute.

a *J'ai un short, un sweat et des baskets.*

b *J'ai une jupe, un tee-shirt et des sandales.*

c *J'ai un jean, une chemise et des baskets.*

d *J'ai un jean, un tee-shirt et un pull.*

1b Répète.

1c Jeu: trouve l'erreur!

Exemple A: Je suis Natacha. J'ai une jupe, un tee-shirt et des bottes.
B: Non! Tu as une jupe, un tee-shirt et des sandales.

2 Qu'est-ce que tu as dans l'armoire de tes rêves? Fais une liste!
What clothes do you have in your dream wardrobe? Make a list!

Exemple Dans l'armoire de mes rêves, j'ai trois jeans, cinq sweats, …

Rappel: avoir

j'ai – I have	**nous avons** – we have
tu as – you have	**vous avez** – you have
il/elle a – he/she/it has	**ils/elles ont** – they have
on a – we have (*informal*)	

Mots-clés

un	**une**	**des**
anorak	casquette	baskets
blouson	chemise	bottes
jean	cravate	chaussettes
pantalon	jupe	chaussures
pull	robe	sandales
short	veste	
sweat		
tee-shirt		

Choisis ta tenue préférée. Écoute pour voir si quelqu'un est d'accord avec toi.
Exemple **1** a, g, l …

Mots-clés

Les couleurs

blanc(s)/blanche(s)	rouge(s)
noir(s)/noire(s)	jaune(s)
gris/grise(s)	rose(s)
bleu(s)/bleue(s)	beige(s)
vert(s)/verte(s)	marron
violet(s)/violette(s)	orange

Zoom grammaire: *colour adjectives*

1 Match the sentence halves.
Example **1 b**

1	Un adjectif, c'est	**a**	le nom.
2	Au féminin, on ajoute	**b**	un mot pour décrire.
3	Au pluriel, on ajoute	**c**	un -e.
4	On met l'adjectif de couleur après	**d**	un -s.

Note the exceptions to rules 1–4:
Rouge, **rose**, **jaune**, **beige** only change in the plural.
Gris doesn't change in the masculine plural, and **orange** and **marron** never change at all.

➡ 133

A Décris ce que tu portes.
Exemple J'ai une chemise bleue, une cravate bleue et rouge, …

B Fais un sondage dans la classe.
Exemple A: C'est quoi, ta tenue préférée?
B: Ma tenue préférée, c'est …

C Invente un nouvel uniforme pour ton collège. Écris la description.
Exemple Je vous présente le nouvel uniforme. Nous avons un short rouge …

1.3 J'adore le look sport

- Talk about the types of clothes you like
- Say what you think about clothes/fashions using *parce que*
- Revise the present tense of regular *-er* verbs
- Pronounce the sounds *un/une*

À vos marques 

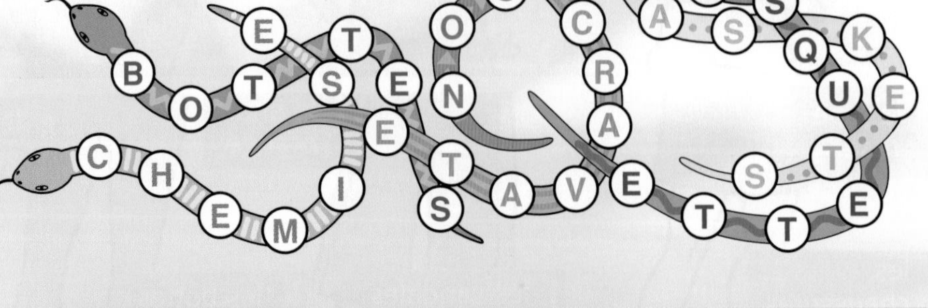

Nœud de serpents. Trouve six vêtements.

Note the letters along each snake to find the names of six items of clothing.

Qu'est-ce que tu aimes comme look?

Le look sport
Clément aime le look sport parce que c'est pratique. Il adore les formes simples et les matières confortables.

Le look décontracté
Emmanuelle préfère le look décontracté parce que c'est sympa et c'est chic. Elle adore les sweats et les pulls de toutes les couleurs.

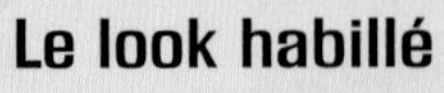

Le look habillé
Noé adore le look habillé parce que c'est élégant. Sa couleur préférée, c'est le noir. Il n'aime pas le look sport parce que c'est moche.

LIRE 1a Trouve:

- **a** because it's practical
- **b** the casual look
- **c** the smart look
- **d** because it's ugly
- **e** his favourite colour
- **f** simple shapes and comfortable materials

LIRE 1b Vrai ou faux?

- **a** Noé déteste le look habillé.
- **b** Clément aime son look parce que c'est élégant.
- **c** Emmanuelle n'aime pas les sweats.
- **d** Elle aime le look décontracté parce que c'est moche.

PARLER/ÉCRIRE 1c Corrige les phrases qui sont fausses.

Correct the sentences that are false.

Écoute. Qui dit quoi? Fais des phrases avec les Expressions-clés.

Exemple Juliette: J'aime bien le look décontracté, parce que c'est …

Et toi, qu'est-ce que tu aimes comme look? Pourquoi?

Expressions-clés

Qu'est-ce que tu aimes comme look?

J'adore / J'aime bien / Je n'aime pas / Je déteste } le look décontracté / le look sport / le look habillé

Parce que c'est pratique, sympa, chic, moche.

Guide pratique

Parce que

- Use **parce que** (or **parce qu'** before a vowel) to give an opinion or a reason.

1a Match the sentence halves with **parce que**.

1 J'aime le look sport
2 J'aime bien le pull vert
3 Il n'a pas de pantalons
4 Elle habite en France

a c'est ma couleur préférée.
b c'est pratique.
c il préfère les jeans.
d elle est française.

1b Translate the sentences into English.

Zoom grammaire: present tense -er verbs

j' **aime**
tu **aimes**
il/elle/on **aime**
nous **aimons**
vous **aimez**
ils/elles **aiment**

- Lots of French verbs have an infinitive ending in **-er**, like **aimer**. Most of them are called "regular verbs" because the pattern of the endings in the present tense is the same for all of them.

1 Write out all the present tense forms for any two of these verbs: **adorer**, **détester**, **demander**, **regarder**.

Example j'adore, tu adores …

2 Make up 10 sentences using different parts of the same verb.

Example J'adore les robes, mais ils adorent les jeans.

➡ 138

Ça se dit comme ça!

un – une

1 Listen and repeat.

un pull | une jupe | un jean | une robe

2 Do you hear **un** or **une**? Listen and note which.

Exemple **a** un

Challenge!

A Décris les différents looks.

Exemple Le look sport, c'est un short …

B Qu'est-ce que tu penses des vêtements, p. 10? Donne le plus possible de détails.

Exemple Je n'aime pas les sandales parce qu'elles sont moches!

une jupe = elle **un** pull = il

C Décris l'uniforme de ton collège et donne ton opinion avec le plus possible de détails. Donne tes raisons.

Exemple Nous avons un sweat bleu. J'adore mon sweat, parce que j'adore la couleur et parce que les sweats sont pratiques. Mais je déteste …

1.4 Qu'est-ce que tu mets?

- Say what you wear for different occasions and in different weather
- Revise using *aller* + preposition + place
- Revise the weather
- Use connectives in longer sentences

À vos marques 

Utilise le glossaire (page 158) ou un dictionnaire pour trouver huit nouveaux vêtements.

1a Regarde les photos et lis la liste. Ils vont où? Devine. Écoute et vérifie.

en ville	**au centre sportif**
au collège	**chez ses grands-parents**
à une boum	

1b Réécoute. Recopie et complète les bulles.

a *Quand je vais au collège, je mets mon/ma/mes …*

b *Quand je vais en ville, je mets …*

c *Quand je vais à une boum, je mets …*

d *Quand je vais chez mes grands-parents, je mets …*

2 Jeu de mémoire, livre fermé.

Exemple A: Qu'est-ce que Juliette met quand elle va au collège?
B: Elle met …
A: Oui./Non.

3 Écris quatre bulles pour toi.

ZOOM grammaire: possessive adjectives

These have to match the noun they go with:

	Singular		Plural
	masc.	**fem.**	**masc. or fem.**
my	mon	ma	mes
your	ton	ta	tes
his/her	son	sa	ses

➡ 135

Expressions-clés

Quand je vais/il va/elle va au collège/en ville/
chez mes grands-parents/au centre sportif/à une boum …
Quand il fait beau/il fait froid/il fait chaud/il y a du soleil/il y a du vent/
il pleut/il neige/il gèle/il fait gris/il y a du brouillard/il y a de l'orage …

… je mets mon/ma/mes
… il/elle met son/sa/ses
+ *item of clothing*

Regarde les bulles. Quel temps il fait? Écoute et vérifie.

Exemple **a** Il pleut.

a

b

c

d

e

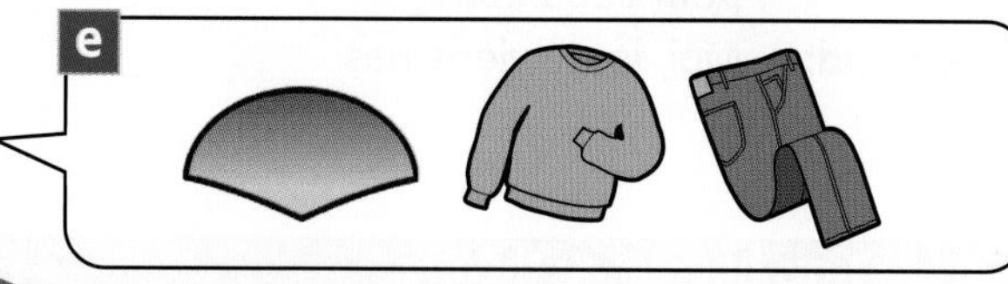

PARLER 4b ÉCRIRE

Fais une phrase pour chaque bulle.

Exemple **a** Quand il pleut, je mets mon anorak rouge et mes bottes noires.

Zoom grammaire: mettre

je mets	**nous mettons**
tu mets	**vous mettez**
il/elle/on met	**ils/elles mettent**

Mettre (to put on or to wear) is an irregular verb.

1. What do you notice about the **je** and **tu** forms of the present tense (above)?
   What do you notice about the **t** in the singular forms and in the plural?
2. Listen to the rap. Write your own rap or a poem using all the different forms of the verb above with different clothes vocabulary. Perform or record it, if possible. ➡ 140

Guide pratique

quand **– when**

Quand is a question word which can also be used as a connective to link phrases.

1. Write as many sentences as you can connecting the phrases below with **quand**.
   Example Quand il pleut, je mets mes bottes.

il pleut **je mets mes bottes**
je vais au collège **je vais à la plage**
je ne mets pas de baskets **il fait froid**
je mets une jupe **je mets un short**

Challenge!

A Dessine et décris une tenue pour l'été ou l'hiver.
Exemple En été, quand il fait chaud, je mets …

B Recopie et adapte les bulles de l'activité 1b pour d'autres personnes.
Exemple Quand mon frère va au collège, il met …

C Interviewe un(e) partenaire. Qu'est-ce qu'il/elle met quand? Pourquoi?
Exemple A: Qu'est-ce que tu mets en hiver quand il fait froid? Et pourquoi?
B: En hiver, je mets mes bottes violettes parce qu'elles sont pratiques et mon grand pull noir parce qu'il est chaud.

1.5 La belle équipe

Épisode 1

1
CONCOURS
Festival
Jeunes Talents
1er prix
Une tournée en France et aux Antilles!
Vous avez 15–18 ans?
Venez auditionner
(groupes de 3 ou 4)
Samedi, 15 h – Théâtre de Dieppe
Complétez une fiche d'inscription
ou présentez-vous par lettre.
2 Le lendemain, chez Matthieu …

Juliette: Alors, on fait le concours de théâtre, c'est d'accord?
Matthieu: Oui! Les auditions sont demain, à trois heures.
Natacha: Bien sûr, tous les quatre!
Arnaud: Ah non, pas moi.
Juliette: Pourquoi?

Juliette: Je mets mon pantalon noir et mon tee-shirt rouge. C'est joli, non?
Matthieu: Et moi, je mets ce tee-shirt rouge.
Natacha: Ah non! Il est trop petit.
Juliette: Et toi, Arnaud? Qu'est-ce que tu mets pour l'audition?
Arnaud: Moi, je ne viens pas.

Juliette: Allez, Arnaud, viens avec nous …
Arnaud: Non, je n'aime pas le théâtre!
Juliette: S'il te plaît, Arnaud, pour moi!
Arnaud: Euh … non Juliette, je suis trop nul! Désolé. Je rentre.

Productrice: Tu t'appelles comment?
Natacha: Je m'appelle Natacha Delanoé.
Productrice: Et tu as quel âge, Natacha?
Natacha: J'ai quinze ans.
Productrice: Tu habites à Dieppe?
Natacha: Oui, j'habite rue des Lilas.

Matthieu: Ça commence bien … On va être des stars!
Juliette: Ah zut! Ma sandale est cassée! Qu'est-ce qu'on va faire?
Matthieu: Ah non! Là, ça commence mal!
Natacha: Attendez. J'ai une idée.

Ils enlèvent les chaussures.

Productrice: Ils sont drôles et j'adore le look!
Juge: Oui, pieds nus … c'est original!
Productrice: Et ils chantent bien aussi.
Juge: Hmmm, oui, mais …

À suivre

ÉCOUTER 1 Écoute et regarde les photos. Quel est le problème?

LIRE 2 Lis et trouve:

- **a** competition
- **b** first prize
- **c** a tour
- **d** we're off to a good start
- **e** broken
- **f** it's not such a good start
- **g** I've got an idea
- **h** funny
- **i** bare feet
- **j** they sing well

LIRE 3a Il y a combien de questions dans le texte?

ÉCOUTER PARLER 3b Répète les questions et imite l'intonation!

LIRE 4 Relie les questions et les réponses.

- **a** Pourquoi est-ce qu'ils vont au théâtre?
- **b** Pourquoi Natacha n'aime pas le tee-shirt de Matthieu?
- **c** Pourquoi Arnaud ne va pas aux auditions?
- **d** Pourquoi est-ce que Juliette enlève ses chaussures?
- **e** Pourquoi est-ce que les juges aiment leur look?

1. Parce que c'est différent.
2. Parce qu'il y a des auditions.
3. Parce que sa sandale est cassée.
4. Parce qu'il n'est pas assez grand.
5. Parce qu'il n'aime pas le théâtre.

En groupes de cinq, jouez l'épisode.

Super-challenge!

Salut!

Moi, c'est Samuel. Je suis canadien. Tu es de quelle nationalité? J'habite à Montréal, au Québec. Ici, on parle français. Ma première langue est le français mais je parle aussi l'anglais. Tu parles quelles langues? J'ai treize ans. Et toi?

J'habite un appartement dans un immeuble moderne. On habite au rez-de-chaussée. Et toi, est-ce que tu habites dans un appartement? Moi, j'habite avec ma famille. J'ai une sœur plus âgée que moi et un frère jumeau, Martin. On est jumeaux, mais on n'est pas identiques. Nous sommes très différents!

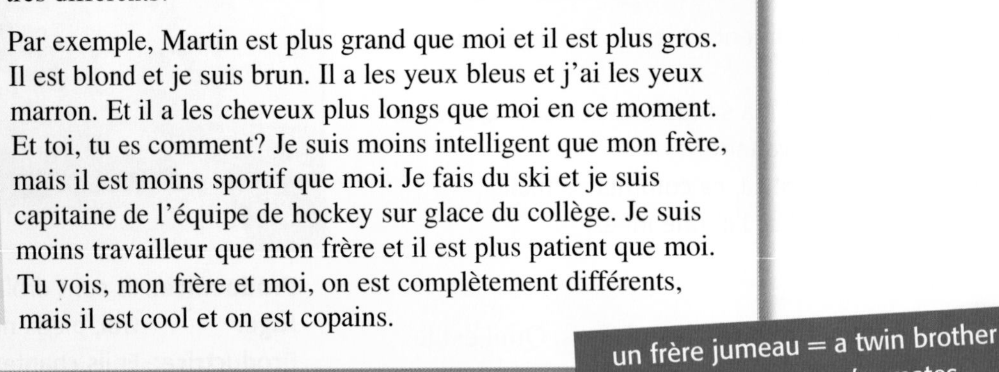

Par exemple, Martin est plus grand que moi et il est plus gros. Il est blond et je suis brun. Il a les yeux bleus et j'ai les yeux marron. Et il a les cheveux plus longs que moi en ce moment. Et toi, tu es comment? Je suis moins intelligent que mon frère, mais il est moins sportif que moi. Je fais du ski et je suis capitaine de l'équipe de hockey sur glace du collège. Je suis moins travailleur que mon frère et il est plus patient que moi. Tu vois, mon frère et moi, on est complètement différents, mais il est cool et on est copains.

CANADA
Québec
Montréal
ÉTATS-UNIS

un frère jumeau = a twin brother
on est copains = we're mates

LIRE **1** Lis la lettre de Samuel. Réponds aux questions en anglais.

a What nationality is Samuel?
b What languages do they speak in Quebec?
c Is Samuel older or younger than you?
d Is his sister older or younger than him?
e Who is taller, Samuel or Martin?
f What two things are different about Samuel and Martin's hair?
g Which of the two brothers is more intelligent?
h Which one is more sporty?
i Does Samuel get on with his brother?

PARLER **2** Test de mémoire: Pose cinq questions à ton/ta partenaire sur la lettre de Samuel. Il/Elle répond, livre fermé.

ÉCRIRE **3** Écris une lettre similaire. Réponds aux questions de la lettre. Compare-toi à un frère, une sœur ou un(e) ami(e).
Write a letter similar to Samuel's. Answer the questions in his letter. Compare yourself with a brother, sister or friend, using *plus* or *moins* + adjective.

ZOOM grammaire: comparing

English	French
big	grand
bigger	?
hard-working	travailleur
not as hard-working	?

1 Can you fill in the gaps on the chart above? Read through Samuel's letter to find examples.

2 How does Samuel say: more patient than, older than, longer than, not as sporty as? ➡ 134

1 Vocabulaire

Tu es de quelle nationalité?	***What nationality are you?***
Je suis/Il est français.	*I'm/He's French.*
Je suis/Elle est française.	*I'm/She's French.*
anglais/anglaise	*English*
écossais/écossaise	*Scottish*
gallois/galloise	*Welsh*
irlandais/irlandaise	*Irish*

Les couleurs	***Colours***
blanc/blanche	*white*
noir/noire	*black*
gris/grise	*grey*
bleu/bleue	*blue*
vert/verte	*green*
violet/violette	*purple*
rouge	*red*
jaune	*yellow*
orange	*orange*
rose	*pink*
beige	*beige*
marron	*brown*

Les vêtements	***Clothes***
J'ai/Tu as …	*I've got/You've got …*
Il a/Elle a …	*He's/She's got …*
Nous avons/Ils ont …	*We've/They've got …*
un blouson	*a bomber jacket*
un jean	*(a pair of) jeans*
un pantalon	*(a pair of) trousers*
un pull	*a pullover*
un short	*(a pair of) shorts*
un sweat	*a sweatshirt*
un tee-shirt	*a T-shirt*
une casquette	*a cap*
une chemise	*a shirt*
une cravate	*a tie*
une jupe	*a skirt*
une robe	*a dress*
une veste	*a jacket*
des baskets	*trainers*
des bottes	*boots*
des chaussures	*shoes*
des chaussettes	*socks*
des sandales	*sandals*
Ma tenue préférée, c'est …	*My favourite outfit is …*

Qu'est-ce que tu aimes comme look?	***What look do you like?***
J'adore le look décontracté.	*I love the casual look.*
J'aime bien le look sport.	*I like the sporty look.*
Je n'aime pas beaucoup le look habillé.	*I don't like the formal look much.*
Je déteste le look sport.	*I hate the sporty look.*
Parce que c'est …	*Because it's …*
pratique/sympa/moche/chic	*practical/nice/ugly/smart*
Quand je vais au collège, je mets mon pantalon et ma chemise.	*When I go to school, I wear my trousers and my shirt.*
Quand il fait froid, elle met ses bottes.	*When it's cold, she wears her boots.*

1 Podium

I know how to:

- introduce and describe myself and someone else: **Je m'appelle … J'ai … ans. Je suis … etc. Mon frère s'appelle … Il a … ans. Il est …** etc.
- say what nationality I am/someone else is: **Je suis français. Ma copine est irlandaise.**
- say what I'm wearing/what someone else is wearing: **J'ai un sweat, une jupe et des bottes. Le prof a un pantalon, une chemise et une cravate.**
- ask someone what their favourite outfit is: **C'est quoi, ta tenue préférée?**
- say what my favourite outfit is: **Ma tenue préférée, c'est un tee-shirt, un short et des baskets.**
- describe clothes and colours: **un jean noir, une veste verte, des chaussettes blanches**
- ask someone what look they prefer and say what types of clothes I like: **Qu'est-ce que tu aimes comme look? J'adore le look habillé, mais je n'aime pas le look sport.**
- say why I like or don't like clothes/fashions: **J'aime bien le look décontracté parce que c'est pratique et sympa.**
- say what I wear for different occasions: **Quand je vais au collège, je mets mon pull noir et mon jean. Quand je vais à une boum, je mets un tee-shirt et une jupe.**
- say what I wear in different weather: **Quand il fait froid, je mets mon pull et ma veste.**
- say and write all parts of the present tense of **être**, **avoir** and **mettre**
- understand the importance of gender, adjectival agreement and position of adjectives
- say and write all parts of the present tense of regular **-er** verbs
- ask questions in a variety of ways: **Tu es de quelle nationalité? Est-ce que vous avez des baskets? Qui a des sandales?** etc.
- use connectives in longer sentences: **Max aime bien le look sport quand il fait chaud parce que c'est pratique.**
- use **aller** + preposition + place to say where I'm going: **Je vais à une boum.**
- use some sound–spelling links to work out how to pronounce new words
- pronounce the sounds **un/une** accurately

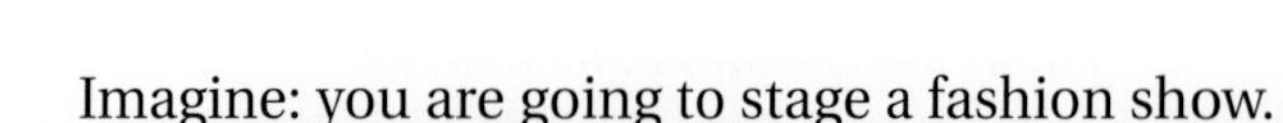

Imagine: you are going to stage a fashion show.

List the clothes you'll show for each outfit: **une jupe noire, un tee-shirt blanc, une casquette blanche, des bottes noires,** etc.

Write and read out a commentary: **Joe a un pantalon gris avec une chemise jaune,** etc.

Write out a commentary and learn it. Organize and put on the fashion show.

2 En forme!

- **Contexts:** health and fitness
- **Grammar:** revision of gender and plurals; imperative; *au, à la, à l', aux*; perfect tense
- **Language learning:** using a dictionary; understanding a text with unfamiliar language; translating idioms
- **Pronunciation:** sounding French; accents
- **Cultural focus:** French idioms featuring parts of the body; *Tour de France*

2
Aïe! Mon cou!

3
Ouille! Mes oreilles!

4
Oh là là! Mon ventre!

5
Aïe aïe aïe! Ma jambe!

6
Ouille! Mes pieds!

7
Ça ne va pas, Matthieu?
Si, ça va très bien! Je m'entraîne à faire le Monstre de Frankenstein! C'est un beau rôle pour moi!

Écoute et lis.

Trouve le nom des parties du corps. Fais trois listes:
1 masculin
2 féminin
3 pluriel

Réécoute. Joue la scène avec un(e) partenaire!

Mime une photo. Ton/Ta partenaire devine.

Exemple A: (mime la photo numéro 2)
B: C'est ton cou!

2.1 Ça va?

- Name parts of the body
- Revise masculine, feminine and plural forms
- Use exclamations and sound French
- Use a dictionary to help with grammar and spelling

À vos marques

a Devine quel Mot-clé va dans chaque bulle!
b Écoute et vérifie.

1
Aïe aïe aïe, mon ***
2
Oh là là, mes ***
3
Ouille! Ma ***!
4
Oh, ça ne va pas … mes ***
5
Aïe! Mon ***!
6
Oh là là! Ma ***!

ÉCRIRE 1a Recopie et complète les bulles avec les Mots-clés.

ÉCRIRE 1b Fais des dessins pour les autres Mots-clés! Ton/Ta partenaire devine et écrit les bulles.
Exemple

Aïe! Ma tête!

PARLER 1c Jeu de mémoire en classe.
Exemple A: La tête!
B: La tête et le dos!
C: La tête, le dos et les pieds. etc.

Ça se dit comme ça!

Sounding French

- Remember to use exclamations to sound more French where appropriate!

1 How would you translate the following into English?

Ouille!

Aïe! Oh là là!

2 Do you know other French exclamations? Look back at pages 14 and 15.

3 Listen and decide which face matches what you hear.

Mots-clés

Le corps

le	la	l'	les
bras	bouche	épaule	doigts de pied
cou	dent	oreille	yeux (un œil)
doigt	gorge		
dos	jambe		
genou	main		
nez	tête		
pied			
pouce			
ventre			
visage			

Zoom grammaire: *masculine, feminine – singular, plural*

- Masculine or feminine?
  Usually, the determiner helps (**le nez, ma bouche**) but sometimes you have to use other clues to work out the gender of nouns (e.g. gender of the person, adjective endings).

1 Note the gender of the nouns in green.

a Voici mon copain Simon.
b Il a deux souris blanches.
c Sa mère est artiste.
d Il habite au pays de Galles.
e Il a les cheveux blonds.
f Il a l'œil droit vert et l'œil gauche bleu!

- How do you make a noun plural?
  The general rule is to add an **-s** (**un pied, des pieds**) but not always!

2 Find the plural of these nouns and work out the rules. Use a dictionary (see *Guide pratique*) or the glossary. Careful! Most do not add **-s**. The last one is very irregular.

a un animal	**b** un gâteau	**c** un jeu
d un cheveu	**e** un dos	**f** un bras
g un nez	**h** un prix	**i** une oreille
j un cou	**k** un genou	**l** un œil

➡ 133

Guide pratique

Using a dictionary ①

peau, *pl* **~x** /po/ *nf* (a) skin; **n'avoir que la ~ sur les os** to be all skin and bone
(b) leather; **gants de ~** leather gloves
(c) peel
(d) (colloq) life; **risquer sa ~** to risk one's life; **faire la ~ à qn** to kill sb; **vouloir la ~ de qn** to want sb dead
IDIOMS **être bien dans sa ~** (colloq) to feel good about oneself; **avoir qn dans la ~** (colloq) to be crazy about sb (colloq); **prendre une balle dans la ~** (colloq) to be shot

- What do you use a dictionary for?
  – to find the meaning of a word
  – to find a French word you don't know
  – to check the spelling of a word
  – to check a grammar point using the abbreviations: *m*, *f*, *pl*, *vb*, *adj*, *adv*, etc.

1 Use a dictionary to find the French for the underlined words. Look in the English–French section first to find the words, then in the French–English to check their plural forms.

a There are two horses.
b You have three wishes!
c It's in the newspapers.
d She loves jewels!

- Phrases don't always translate literally!

2 Find the French for these idioms in a dictionary:

a Heads or tails?
b He's under my feet!
c by word of mouth

Challenge!

A Écris le plus possible de parties du corps de mémoire.
Exemple la tête, les yeux, etc.

B Invente un monstre. Écris et lis sa description. Ton/Ta partenaire dessine ton monstre!
Exemple Mon monstre a deux têtes, trois yeux, deux bouches, et …

C Lis les définitions. C'est quelle partie du corps?

a Ils sont bleus, verts ou marron.
b Elle est sur ton cou.
c Ils sont sous tes jambes.
d Il est sur ton visage.
e Ils sont blonds, bruns, raides ou frisés.
f Elles sont dans ta bouche.

2.2 J'ai mal!

- Ask someone what's wrong
- Say where it hurts
- Say how you feel and what is wrong with you
- Understand that you can't always translate literally

À vos marques

a Imagine la conversation entre le médecin et le Monstre.
b Écoute. Tu entends quoi? C'est quoi, en anglais?
Médecin: **a** Ça va? **b** Qu'est-ce qui ne va pas? **c** Ça ne va pas?
Monstre: **a** Ça va bien. **b** Ça ne va pas. **c** J'ai mal!

a

à la pharmacie

b
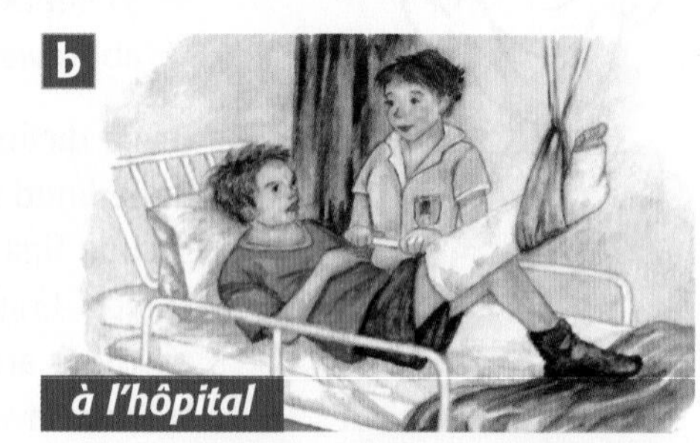
à l'hôpital

c
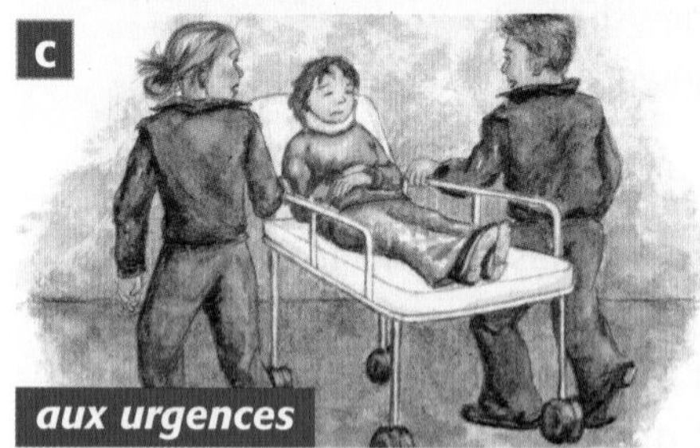
aux urgences

d

chez le médecin

1 – Elle a mal?
– Oh oui, elle a très mal au cou

2 – Bonjour! Ça va, ce matin? Tu n'as pas mal?
– Bof! J'ai encore un peu mal à la jambe!

3 – Qu'est-ce qui ne va pas?
– Ben … J'ai très mal à l'épaule droite.

4 – Oh là là! J'ai vraiment mal aux dents.
– Voilà des antidouleur. Allez vite chez le dentiste!

LIRE 1a Relie les textes aux dessins.

ÉCOUTER PARLER 1b Écoute et vérifie. Imite l'intonation!

PARLER 2 Mime un problème. Ton/Ta partenaire devine.

Exemple A: (mime "mal au ventre")
B: Qu'est-ce qui ne va pas? Tu as mal au ventre?
A: Oui! J'ai très mal au ventre.

ZOOM grammaire: *à + le/la/l'/les*

à + le = **au**	à + la = **à la**
à + l' = **à l'**	à + les = **aux**

1 Copy and complete with **à la** …; **à l'**…; **au** …; **aux** …
a J'ai mal *** gorge et *** ventre.
b Tu as mal *** yeux? Oui, surtout *** œil droit.

2 Write six sentences using **à** in a different context (look at pages 12 and 13 in Unit 1).
Example Je vais à … J'habite à … J'ai mal à …

➡ 135

Blanche-Neige:
Miam miam! ❶ *Oh là là, j'ai mal au ventre. Beurk!* ❷*!*

La Belle au bois dormant:
Aïe! Mon doigt! Brrrrrr! ❸ *et … aaaahhhh!* ❹*!*

Dracula:
Oh! J'ai très mal aux dents! Et ❺*!*

Le grand méchant loup: *Pff* ❻*! 39 degrés!* ❼*! Et ma gorge! Hum hum hum* ❽*! Oh non* ❾ *Je n'ai pas faim! Zut alors!*

Jacques et le haricot magique:
Oh, mes yeux! Aïe, mon nez! Atchoum! Atchoum! Oh là là, ❿

Expressions-clés

Qu'est-ce qui ne va pas?

j'ai chaud	j'ai froid
j'ai faim	j'ai soif

j'ai envie de vomir
j'ai envie de dormir
j'ai de la fièvre
j'ai un rhume
j'ai le rhume des foins
j'ai la grippe
je tousse

3a (LIRE / ÉCOUTER) Lis et écoute.

3b (ÉCRIRE) Recopie les phrases avec les bonnes Expressions-clés.

3c (PARLER) Dis les phrases, de mémoire!

3d (PARLER) Imagine les conversations chez le médecin. Joue-les avec un(e) partenaire.

Exemple A: Bonjour. Tu t'appelles comment?
B: Bonjour, docteur. Je m'appelle Blanche-Neige.
A: Qu'est-ce qui ne va pas?
B: J'ai mal au ventre, et …

Guide pratique

Translating idioms

Not everything translates word for word from one language to another.
This is often the case with phrases with **avoir**:
j'ai faim = I am hungry (literally: I have hunger)

1 What would the following expressions with **avoir** be in English?
a J'ai mal! **b** J'ai 13 ans. **c** J'ai froid. **d** J'ai soif.

2 How would you say the following common expressions in English?
a Il fait chaud. **b** Il y a un cinéma? **c** Il pleut. **d** Ça va? **e** Ça va bien. **f** Tu es comment?

A Choisis un personnage en secret. Écris ce qui ne va pas. Ton/Ta partenaire devine qui tu es.
Imagine you are one of the characters above and write what is wrong with you. Your partner works out who you are.
Exemple A: Tu as mal au ventre?
B: Non.

B Invente le plus possible d'excuses pour ne pas aller à l'école un matin!
Invent as many excuses as possible for not going to school one day.

C Écris une conversation entre Pinocchio et un médecin!

2.3 C'est la forme!

- Say what is good or bad for your health
- Understand and give basic advice on healthy living (using the imperative)
- Say you agree/disagree
- Revise negatives

À vos marques

Quiz-santé! Lis les mots et fais deux listes:

a Je mange souvent du/de la/des …

b Je ne mange pas souvent de …

Ton prof a les résultats.

poisson burgers pizza pâtes

légumes frites salade chips

bonbons gâteaux glace fruits

LIRE 1a Lis les conseils de santé dans Expressions-clés. Relie-les aux panneaux.

Read the health advice in *Expressions-clés*. Match the advice to each sign.

ÉCOUTER 1b Écoute et vérifie.

PARLER 1c Jeu de mime. A mime un panneau, B dit le conseil. Ensuite, changez de rôles.

Exemple A: (mime "Mange des fruits.")
B: Mange des fruits! C'est bon pour la santé!

Expressions-clés

✓ C'est bon pour la santé.
✗ C'est mauvais pour la santé.

a Bois de l'eau.
b Ne bois pas de sodas.
c Mange des fruits.
d Ne mange pas de bonbons.
e Va au collège à pied!
f Ne va pas au lit trop tard.
g Fais du sport!
h Ne fume pas!

Zoom grammaire: imperative

1 When do we use the imperative? Read the sentences on the right and make two lists:
- instructions
- advice

2 Why are the verb endings different? Make two lists:
- when using **tu**
- when using **vous**

3 To do or not to do! What do you notice?
Mange!
Ne mange pas!

Bois du lait!
Ne bois pas de lait. ➡ 143

Ne mangez pas de chocolat!

Ne bougez pas!

Baissez les bras!

LEVEZ LA MAIN!

Faites du vélo!

Mange des fruits!

Bois beaucoup d'eau !

Discutez en classe!

FAIS DE L'EXERCICE!

Écoute!

Répétez!

Ne touche pas!

2a (ÉCRIRE) Trouve d'autres conseils. Dessine des panneaux.
Draw signs with other pieces of advice.
Exemple
Ne mange pas de chips!

2b (PARLER) Discute tes nouveaux conseils avec un(e) partenaire. Il/Elle est d'accord ou pas?
Discuss your new advice with a partner. Do you both agree?
Exemple A: Ne mange pas de chips, ce n'est pas bon pour la santé.
B: Je suis d'accord./Je ne suis pas d'accord. Les chips, ce n'est pas mauvais pour la santé.

A Écris correctement les conseils. Traduis.

BoisdeI'eauNeboispasdesodasNemangepasdebonbons
Vaaucollègeàpiedetnevapasaulittroptard

B Choisis cinq conseils pour Matthieu et écris-lui un e-mail.
Exemple Salut, Matthieu. Tu n'es pas en forme? Désolé(e)! Ne mange pas de bonbons, c'est mauvais pour la santé. etc.

C Écris des questions et interviewe un(e) partenaire: il/elle est en forme? Donne des conseils!
Exemple A: Tu bois de l'eau?
B: Non, je bois beaucoup de sodas.
A: Ce n'est pas bon pour la santé. Bois beaucoup d'eau. etc.

Oh là là, je ne suis pas en forme. J'ai mal au ventre!

2.4 Mission-santé

- Understand a text describing what someone did to be healthy
- Use the perfect tense
- Revise accents and pronunciation

À vos marques 

Lis et explique en anglais les sept objectifs de Mission-santé. Ils sont possibles pour toi?

Mission-santé: un objectif par jour!

1 prendre un bon petit déjeuner
2 manger cinq portions de fruits et légumes
3 boire un litre d'eau
4 faire une heure d'activité physique
5 ne pas manger de sucreries entre les repas
6 ne pas boire de sodas
7 ne pas aller au lit après 10 heures

Écoute et lis le journal "Mission-santé" de Natacha. Relie les objectifs aux jours de la semaine.

Exemple **Objectif 1** = lundi

Relis et trouve dans le texte:

* six aliments
* six boissons
* six fruits et légumes

Trouve:

a I walked
b the playground
c bars of chocolate
d green beans
e dried fruit
f a reward

Relis bien le texte. Tu es Natacha. Ton/Ta partenaire t'interviewe. Réponds de mémoire, puis change de rôle.

Exemple A: Qu'est-ce que tu as fait mercredi?
B: Je ne suis pas allée au lit tard.
A: Oui, très bien. etc.

À toi de faire la mission-santé! Écris un journal. (Voir Guide pratique.)

Exemple Lundi, j'ai bu deux litres d'eau.

Expressions-clés

Qu'est-ce que tu as fait (lundi, etc.)?

J'ai pris	un bon petit déjeuner.
J'ai mangé	cinq portions de fruits et légumes.
Je n'ai pas mangé	de sucreries entre les repas.
J'ai bu	un litre d'eau.
Je n'ai pas bu	de sodas.
J'ai fait	une heure d'activité physique.
Je ne suis pas allé(e)	au lit tard.

J'ai atteint tous les objectifs de Mission-santé! Voici mon journal de la semaine!

LUNDI – Ce matin, j'ai pris un bon petit déjeuner: j'ai mangé une banane, une orange et des céréales et j'ai bu un verre d'eau et un chocolat chaud. C'était bon.

MARDI – Aujourd'hui, je ne suis pas allée au collège en bus. J'ai marché 15 minutes le matin et 15 minutes le soir. En plus, pendant les récrés, j'ai fait de l'exercice! J'ai marché dans la cour du collège avec Juliette. C'est de l'activité physique. Super! C'était facile!

MERCREDI – Ce soir, j'ai fait mes devoirs, j'ai joué sur ma console, j'ai surfé sur Internet et je ne suis pas allée au lit tard: je suis allée au lit à 21 h 30. Hmm ... C'était un peu tôt!

JEUDI – Je n'ai pas mangé de biscuits, ni de pains au chocolat, ni de barres chocolatées pendant les récrés! J'ai mangé une pomme. Hmm ... Pas de sucreries entre les repas: ce n'était pas facile! J'adore les pains au chocolat!!!

VENDREDI – Je n'ai pas bu de soda au collège, ni à la maison! Cet après-midi, au goûter, je n'ai pas pris de limonade, j'ai bu du lait. C'était bien.

SAMEDI – Cet après-midi, j'ai bu une bouteille d'eau minérale (1 litre et demi). Beurk! Je n'aime pas l'eau! C'était difficile.

DIMANCHE – Au petit déjeuner, j'ai mangé une banane. À midi, j'ai mangé du poulet avec des haricots verts et une salade de fruits. Cet après-midi, j'ai bu un jus d'orange et j'ai mangé des fruits secs. Voilà, mes cinq portions de fruits et légumes! Alors ce soir, j'ai mangé une pizza ... C'était ma récompense!

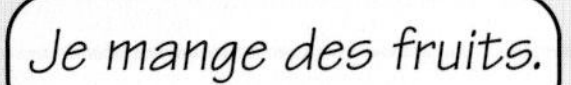 grammaire: the perfect tense 1

- Compare:

- How do you put a verb in the perfect tense?

infinitive	present tense	perfect tense
manger	**je mange**	**j'ai mangé**

verb **avoir** — past participle

1 Find the past participles of these verbs in Natacha's diary.
Example aller = allée

aller **jouer** **marcher** **prendre** **boire** **faire**

2 Write sentences in the perfect tense.
- **a** Je + avoir + regarder + la télévision.
- **b** Tu + avoir + faire + du sport?
- **c** Il + avoir + manger + des bonbons.
- **d** Elle + avoir + jouer + sur sa console.
- **e** Vous + avoir + faire + du surf hier?
- **f** Elles + avoir + boire + du lait.

3 What do you notice about the perfect tense of **aller**?

être
Je suis allé au collège.
past participle

être
Je suis allée au collège.
past participle + **e**

➡ 142

Guide pratique

Understanding and adapting texts

1 Re-read Natacha's diary. Use the context to work out the English equivalent of the following:
a au goûter **b** pendant les récrés
c C'était …

2 Note the time phrases that Natacha uses.
Example Ce matin – This morning

Ça se dit comme ça!

Accents

1 Most accents don't change the pronunciation of words but some do! Which ones?
Read these words aloud and listen to check.

1	la	là	**6**	route	août
2	ou	où	**7**	mange	mangé
3	mer	mère	**8**	rose	rosée
4	secret	secrète	**9**	mais	maïs
5	il	île	**10**	sur	sûr

2 Listen. Is it past or present tense?

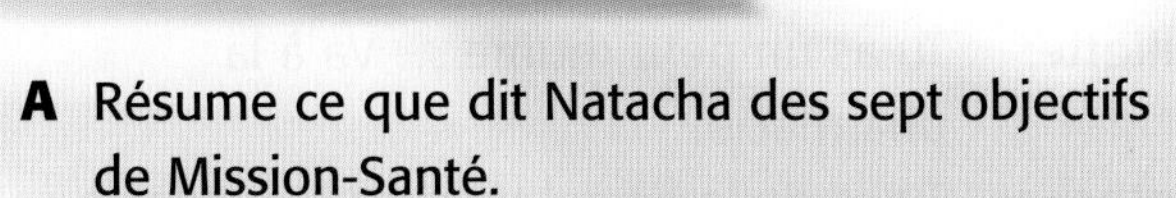

A Résume ce que dit Natacha des sept objectifs de Mission-Santé.
Exemple Lundi, j'ai pris un bon petit déjeuner. Mardi, …

B Raconte un week-end "santé" ou le contraire.
Exemple J'ai mangé … etc.

C Décris ta semaine. Tu as atteint trois objectifs? Ton/Ta partenaire dit si c'est vrai ou faux et dit pourquoi. Ensuite, changez de rôles.
Exemple A: Lundi, j'ai mangé trois portions de fruits au petit déjeuner.
B: C'est faux. Tu détestes les fruits!
A: Non, c'est vrai! J'ai mangé une pomme et une banane et j'ai bu un jus d'orange.

2.5 La belle équipe

Épisode 2

1

Productrice: Juliette, Matthieu et Natacha … vous êtes sélectionnés pour le Concours! Félicitations!
Matthieu: Ouais! Génial!
Natacha: Oh là là … je rêve!
Juliette: Vite, on va voir Arnaud!

2

Juliette: Salut, Arnaud! On est sélectionnés! On s'appelle "les Pieds-Nus"!
Arnaud: Ah? Bravo.
Natacha: Tu n'es pas très enthousiaste!
Matthieu: Pff … il est jaloux!

3

Arnaud: Moi? Jaloux? D'un clown comme toi?
Matthieu: Un clown, moi? Répète!
Natacha et Juliette: Ok! Ça va, ça va!

4 Quelques jours plus tard

Matthieu: Brrr! J'ai froid et j'ai mal au ventre.
Juliette: Tu as un petit rhume … Va à la pharmacie!
Natacha: Tu as de la fièvre! Va chez le médecin ce soir.
Matthieu: Mais non, ce soir, il y a la répétition des Pieds-Nus!
Natacha: Alors, bois beaucoup d'eau et mange des kiwis, pour les vitamines.
Matthieu: Oui, docteur Natacha!

5 Plus tard, chez Arnaud

Arnaud: Matthieu, c'est à toi! Matthieu?
Matthieu: Euh … J'ai très mal et j'ai envie de vomir!
Juliette: Tu n'as pas mangé assez de kiwis!
Natacha: Arrête, Juliette! C'est sérieux. J'appelle le médecin!

6

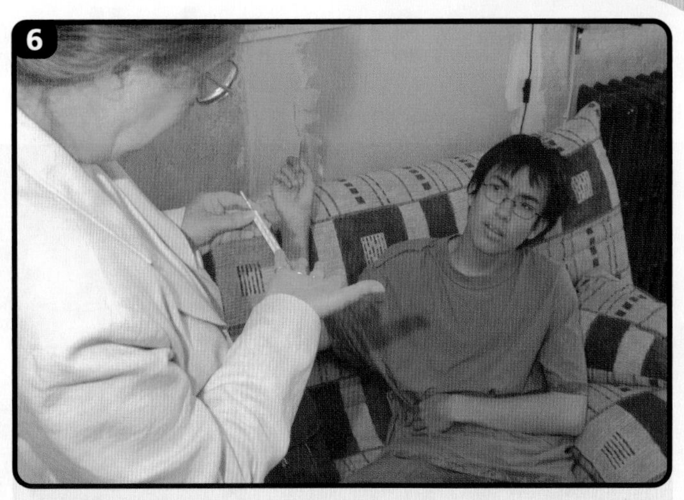

Médecin: Mon garçon, c'est une mauvaise appendicite. Il faut opérer tout de suite.
Matthieu: Mais docteur … Non! Je … les Pieds-Nus … le concours au théâtre!
Médecin: Va d'abord à l'hôpital. Ta santé, c'est plus important que le théâtre!

7

Arnaud: Pauvre Matthieu …
Natacha: Les répétitions, sans Matthieu, ce n'est pas possible!
Juliette: C'est la cata! Et le concours, c'est dans deux semaines!

la cata = la catastrophe

À suivre

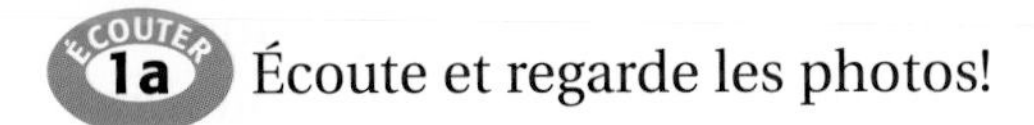

1a (ÉCOUTER) Écoute et regarde les photos!

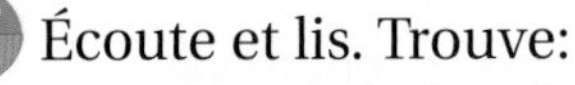

1b (ÉCOUTER / LIRE) Écoute et lis. Trouve:

a congratulations!
b selected
c enthusiastic
d like you
e appendicitis
f to operate
g immediately
h rehearsals

1c (LIRE) Lis les textes. Trouve les phrases.

a The friends have been successful at their audition.
b Arnaud isn't very enthusiastic about his friends' success.
c Arnaud reacts to Matthieu's claim that he is jealous of the group.
d Juliette and Natacha give Matthieu advice on how to feel better.
e Matthieu's feeling really sick.
f Matthieu's condition is serious and needs surgery.
g The friends are concerned as the competition is in two weeks' time.

2a (ÉCOUTER) Écoute bien l'intonation et décide à qui correspond chaque mot.

happy | enthusiastic | angry | ill | worried

2b (PARLER) Répète et imite l'intonation!

2c (ÉCOUTER / PARLER) Réécoute et répète ces petits mots très français! C'est quoi en anglais?

Ouais! | Vite! | Moi? | Euh … | Alors

Oh là là! | Pff! | Ok, ça va! | Mais non!

2 Super-challenge!

Coureurs du Tour de France: champions de la forme!

Le cyclisme est un sport difficile. Nous avons parlé à une équipe de coureurs pendant le Tour de France.

– **Bien manger, c'est important. Qu'est-ce que vous avez pris au petit déjeuner?**

– Certains coureurs ont mangé de la viande, du jambon, des œufs, du fromage, du pain, des fruits … D'autres ont pris un petit déjeuner léger: des tartines de confiture et du jus de fruits.

– **Et qu'est-ce que vous avez mangé hier soir?**

– Nous avons mangé des carottes, du poulet ou du poisson grillé et des kilos de pâtes ou de riz, du fromage et des fruits frais … comme tous les jours!

Pendant la course, les coureurs ont mangé sur leur vélo: des sucreries, des tartelettes de fruits, des gâteaux de riz. Ils ont bu des sodas, pour l'énergie. Ils ont aussi bu de l'eau, beaucoup d'eau.

– **Vous avez bu combien d'eau pendant la course?**

– Aujourd'hui, nous avons bu environ trois litres chacun. Mais hier, en montagne, on a bu plus de 15 litres d'eau chacun!

Les coureurs ont beaucoup de muscles et d'énergie. Pour ça, ils ont fait beaucoup d'exercices avant le Tour.

– **Qu'est-ce que vous avez fait comme sport avant la course?**

– Nous avons fait du footing et de la musculation. Nous sommes aussi allés à la piscine. Certaines équipes sont allées à la montagne et elles ont fait du ski!

– **Vous, vous n'êtes pas allés faire de ski?**

- Non, nous, nous ne sommes pas allés à la montagne. Dommage!

- **Bien. Merci et bonne chance à toute l'équipe!**

LIRE 1 Lis le texte et trouve:
4 sports * 16 aliments * 3 boissons

LIRE 2 Traduis les cinq questions en anglais.

ÉCRIRE 3 Écris trois choses sur les cyclistes que tu savais et trois choses qui te surprennent.
Write three things that you knew and three things that surprised you about the cyclists.
Exemple Les coureurs ont mangé beaucoup de pâtes …

ZOOM grammaire: *verb tenses*

1 Find three verbs in the present tense in the text.
2 What tense are all the other verbs?
3 List all the verbs used with the following:
nous **vous** **ils** (les coureurs) **elles** (les équipes)
Example nous avons mangé

4 Find an example of an alternative to the word **nous**. What do you notice about the verb?

5 Write more sentences using this table to describe a day out with friends.

nous vous ils elles	avons avez ont	mangé …
	sommes êtes sont	allés … allées …

➡ 142

2 Vocabulaire

Le corps	The body
la bouche	*mouth*
le bras	*arm*
le cou	*neck*
la dent	*tooth*
le doigt	*finger*
les doigts de pied	*toes*
le dos	*back*
une épaule	*shoulder*
le genou	*knee*
la gorge	*throat*
la jambe	*leg*
la main	*hand*
le nez	*nose*
un œil (les yeux)	*eye(s)*
une oreille	*ear*
le pied	*foot*
le pouce	*thumb*
la tête	*head*
le ventre	*stomach*
le visage	*face*
aïe/ouille!	*ouch!*
mon/ma/mes	*my*

C'est bon/mauvais pour la santé	It's good/bad for your health
aller au collège à pied	*to walk to school*
aller au lit tard	*to go to bed late*
boire de l'eau	*to drink water*
faire du sport	*to do sport*
fumer	*to smoke*
manger des bonbons	*to eat sweets*
manger des fruits	*to eat fruit*
Je suis d'accord.	*I agree.*
Je ne suis pas d'accord.	*I don't agree*

Qu'est-ce qui ne va pas?	What's wrong
J'ai mal à l'/à la/au/aux …	*My … is/are hurting.*
J'ai chaud.	*I'm hot.*
J'ai froid.	*I'm cold.*
J'ai faim.	*I'm hungry.*
J'ai soif.	*I'm thirsty.*
J'ai envie de vomir.	*I feel sick.*
J'ai envie de dormir.	*I feel sleepy.*
J'ai de la fièvre.	*I've got a temperature.*
J'ai un rhume.	*I've got a cold.*
J'ai le rhume des foins.	*I've got hay fever.*
J'ai la grippe.	*I've got flu.*
Je tousse.	*I've got a cough.*
la pharmacie	*chemist*
l'hôpital	*hospital*
les urgences	*casualty/A and E*
le médecin	*doctor*

Qu'est-ce que tu as fait?	What did you do?
j'ai pris	*I had/took*
j'ai mangé	*I ate*
je n'ai pas mangé	*I didn't eat*
j'ai bu	*I drank*
je n'ai pas bu	*I didn't drink*
j'ai fait	*I did*
je suis allé(e)	*I went*
je ne suis pas allé(e)	*I didn't go*

2 Podium

I know how to:

- name parts of the body: **ma tête, mon cou, mes pieds, etc.**
- ask someone what's wrong: **Qu'est-ce qui ne va pas?**
- say which part of my body hurts: **J'ai mal à la jambe/à l'œil/au bras/aux dents.**
- say how I feel and what is wrong with me: **J'ai envie de vomir/dormir. J'ai de la fièvre/un rhume, etc.**
- say what is good or bad for your health: **Boire de l'eau, c'est bon pour la santé.**
- understand and give basic advice on healthy living: **Bois de l'eau; ne mange pas de bonbons.**
- agree and disagree with an opinion: **Je suis d'accord. Je ne suis pas d'accord.**
- use masculine, feminine and plural forms, including irregular ones: **un nez – des nez; un œil – des yeux**
- use the imperative: **Mange! Ne mange pas!**
- use negatives: **Je ne fume pas. Je n'ai pas fumé.**
- use the perfect tense: **j'ai pris, j'ai bu, j'ai mangé, j'ai fait, je suis allé(e)**
- use a dictionary to help with grammar and spelling
- understand that you can't always translate literally: **j'ai chaud** = I am hot
- understand and adapt a text
- use exclamations and sound French: **Ouille! Aïe! Oh là là!**
- pronounce words with accents: **aime/aimé**

Write about a healthy living campaign.

Design a leaflet with slogans about healthy living (diet, exercise, health): Mange des fruits et des légumes! Ne regarde pas la télé tard le soir!

Write an account of what you do or don't do to be healthy – give your reasons and opinions: Je ne fais pas d'exercice. Je n'aime pas ça, mais c'est bon pour la forme.

Look back over a week and list what you did or ate that was healthy and what you did or ate that wasn't. Take each point and make a list of healthy resolutions: La semaine dernière, je suis allé(e) au lit à 23 h 15. Je n'ai pas mangé beaucoup de fruits … Cette semaine, je vais au lit à 21 h 30. Je mange beaucoup de fruits et …

1-2 Révisions

Regarde d'abord les pages 5–32.

LIRE 1a Relie les questions et les réponses. Quelle est la question qui manque?
Match the questions and answers listed. What is the missing question?

a Française.
b Marion.
c Au cinéma et à des boums.
d J'ai mal à la tête!
e Petite et rousse.
f À Toulouse, dans le sud-ouest de la France.
g De la natation.
h Un jean et un sweat vert.
i Treize ans.

1 Tu t'appelles comment?	**2** Tu as quel âge?	**3** Tu habites où?
4 Tu vas où le week-end?	**5** Tu es comment?	**6** Tu es de quelle nationalité?
7 C'est quoi, ta tenue préférée?	**8** Tu fais quoi pour être en forme?	**9** ?

PARLER 1b Joue au morpion avec un(e) partenaire. Pour gagner, réponds aux questions pour toi. Invente une question pour le numéro 9!
Play noughts and crosses with a partner. To win a square, answer the question correctly. Make up a new question for your partner in number 9.

ÉCOUTER 2 Écoute. Qui parle (a–d)?

ÉCRIRE 3 Invente un uniforme d'été et d'hiver pour tes profs. Écris des explications.
Invent a summer and winter uniform for your teachers. Explain your choices.

Exemple En été, ils mettent un short parce que c'est pratique quand il fait chaud. etc.

a

b

c

d

4a Lis l'e-mail de Khalida. Choisis la bonne réponse.
Read Khalida's e-mail and choose the correct answers.

1 Sammy est de quelle nationalité?
a
b

2 Sammy est comment?
a 
b 

3 Khalida met quoi pour la boum de Sammy?
a 

b 

4 Qu'est-ce qu'elle a mangé à midi?
a  
b  

5 Qu'est-ce qui ne va pas?
a 
b 

6 Elle va où?
a 
b 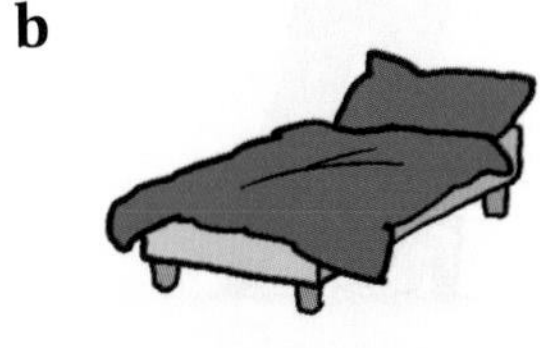

Salut, ici Khalida, ta correspondante de Marseille. Ce soir, je vais à une boum chez un copain, Sammy. Il est nouveau au collège. Il est anglais, mais il parle très bien français. Il est super sympa. Il est grand et blond … il est beau!!

En général, quand je vais à une boum, je mets un pantalon noir et une chemise blanche. Mais ce soir, je vais mettre une robe et des sandales parce qu'il fait chaud!

Oh là là, ça ne va pas: j'ai chaud et j'ai un peu mal au ventre …

J'ai bien mangé à midi à la cantine: j'ai pris du poulet avec des légumes et du lait. Je mange bien pour être en forme. Je ne mange pas de chips et je ne bois pas de sodas.

Oh là là, j'ai très chaud et j'ai envie de vomir. Qu'est-ce qui ne va pas? J'ai peut-être de la fièvre. Oh non, et la boum de Sammy? Oh, ça ne va pas du tout … je vais au lit ce soir! Au revoir!

4b Écris les réponses aux questions.
Write down the answers to questions 1–6.
Exemple **a** Sammy est anglais.

5 Écoute les cinq conversations et note les problèmes. Il y a un ou plusieurs symptômes. Choisis un conseil pour chaque personne.
Listen and note the problem. Sometimes there are several symptoms to listen for! Then choose the appropriate advice for each person.
Exemple **1** fièvre, mal aux dents; **b**

a Va chez le médecin.
b Téléphone au dentiste.
c Va aux urgences.
d Prends de l'aspirine.
e Va à la pharmacie.

3 On se relaxe!

- **Contexts**: TV and cinema; going out
- **Grammar**: *aller* + infinitive; modal verbs: *vouloir, pouvoir, devoir*
- **Language learning**: using connectives; listening for gist and detail
- **Pronunciation**: sound–spelling exceptions
- **Cultural focus**: TV channels; the 24-hour clock

TF1

16.20 Le protecteur
Série. Nick change de firme et travaille pour le bureau de Walter et McNeil.
17.10 Dawson
Héros malgré eux. Série. Réunion entre Dawson et Joey, Andie aide Pacey à entrer dans sa vie professionnelle.
18.00 Le Bigdil
Jeu. Présentation: Lagaf'
19.00 La Ferme Célébrités
Divertissement. En direct.
19.50 Laverie de famille
20.00 Journal

France 2

16.45 Des chiffres et des lettres
Jeu
17.20 Tout vu, tout lu
18.00 Urgences
Le plus proche parent. Série.
18.50 On a tout essayé
Divertissement
19.50 Un gars, une fille
20.00 Journal

France 3

16.35 TO3
Dessins animés. Looney Tunes. Les aventures de Marsupilami.
K.ça Série
18.05 Questions pour un champion
Jeu
18.35 Le 19h/20h
20.05 Le fabuleux destin de …
20.30 Tout le sport

CANAL+

16.40 Scorpions hypersensoriels
Documentaire
17.10 Le roi scorpion
Film américain de Chuck Russell. Aventures.
18.40 Merci pour l'info
Magazine
19.55 Les Guignols de l'info
20.05 C du cinéma

arte

16.40 Cuba: le voyage
Documentaire
17.50 Agrippine
18.15 Mon école et moi
18.45 Arte info
19.00 Glorieuses, l'île aux tortues vertes
19.45 Arte info
20.00 Le journal de la culture

15.10 Bugs
Série. Crise d'identité.
17.00 80 à l'heure
17.55 Les Colocataires
18.50 Charmed
Le retour de Balthazar. Série.
19.45 Caméra café
19.50 Six'

1 Lis le programme de télé. Recopie et complète la grille.

	Émission	Heure	Chaîne
a	C du cinéma		Canal +
b		16.45	
c		18.05	France 3
d	Urgences		
e	Le roi scorpion	17.10	

LIRE 2 Tu reconnais des émissions? C'est quoi en anglais?

Exemple Je reconnais *Des chiffres et des lettres*. C'est *Countdown*.

3 En anglais, compare avec un programme de télé chez toi.
In English, compare with television listings in your country.

3.1 Sélection télé

- Name different types of TV programme
- Say what types of TV programme you like/dislike
- Use connectives to give more detailed answers

À vos marques

Parle de la télé pendant deux minutes.

Exemple A: Tu aimes *Blue Peter*?
B: Oui, j'aime bien. C'est génial! Tu aimes *EastEnders*?
A: Non, je déteste. C'est nul! Tu aimes ...?

1a (LIRE / ÉCRIRE) Regarde les photos et les Mots-clés. C'est quel genre d'émission?

Exemple **1** C'est un jeu.

1b (ÉCOUTER) Écoute et vérifie.

2 (PARLER) Parle encore de la télé!

Exemple A: Tu aimes *Blue Peter*?
B: Oui, j'aime les émissions pour la jeunesse parce que c'est génial! Tu aimes *EastEnders*?
A: Non je déteste les feuilletons parce que c'est nul! Tu aimes ...?

Mots-clés

un documentaire
un film
un dessin animé (les dessins animés)
un feuilleton
un jeu (les jeux)

une émission sportive (les émissions sportives)
une émission pour la jeunesse
une série

la météo
les informations

Écoute. Note les émissions qu'ils aiment ✓ et les émissions qu'ils n'aiment pas ✗.

Arnaud | Natacha | Matthieu | Juliette | Max | Roxanne

Exemple Arnaud: émissions sportives ✓, dessins animés ✓, jeux ✗

Réécoute et écris une bulle pour chaque personne. Utilise les Mots-clés.

Exemple Arnaud

J'adore les émissions sportives parce que c'est génial. J'aime aussi les dessins animés. Par contre, je déteste les jeux parce que c'est nul.

Mots-clés

- et/mais/parce que
- comme
- aussi
- par contre

Sondage. Choisis cinq genres d'émission et pose la question "Tu aimes ...?" Note les réponses et les points.

j'adore	= + 2 points	je n'aime pas	= – 1 point
je déteste	= – 2 points	j'aime bien	= + 1 point

Exemple A: Tu aimes les documentaires?
B: Oui, j'adore les documentaires parce que c'est intéressant.
A: (note: documentaires + 2 points)

Guide pratique

Using connectives

Use connectives to:

- link ideas
- give opinions
- make what you say/write more impressive

J'aime la météo parce que c'est intéressant. Par contre, je n'aime pas les dessins animés parce que c'est nul. J'adore aussi les feuilletons, comme EastEnders, parce que c'est intéressant.

1 Copy the speech bubble and underline all the connectives.

2 Listen again to activity **3**. Put your hand up every time you hear a connective.

Expressions-clés

	J'adore	(regarder)	les jeux
	J'aime (bien)		la météo
	Je préfère		etc.
	Je n'aime pas		
	Je déteste		

C'est génial/intéressant/drôle.
Ce n'est pas mal.
Ce n'est pas marrant.
C'est nul/débile.

Challenge!

A Fais deux listes:
1 les émissions que tu aimes
2 les émissions que tu n'aimes pas
Exemple J'aime *Friends* (une série).

B Écris un exemple pour chaque genre d'émission et donne ton opinion.
Exemple J'aime bien les feuilletons, comme *EastEnders*, parce que c'est génial. Je n'aime pas ...

C Écris environ 80 mots sur "La télé et ma classe".
Exemple Lee et Jason aiment les dessins animés, comme *The Simpsons*, parce que c'est drôle.

3.2 On va au cinéma?

- Name different types of film
- Say what film you are going to see at the cinema
- Revise telling the time and learn the 24-hour clock
- Say what time a film is on

À vos marques

Il est quelle heure?

Mots-clés

Écouter 1a Écoute les huit conversations. C'est quel genre de film?

Exemple **1 b**

Écouter 1b Réécoute. Le film est à quelle heure?

Exemple **1 b** 20 h 30

Parler 2 Écrire Écris en secret cinq films et cinq heures. Discute avec un(e) partenaire en utilisant les Expressions-clés et note les réponses.

Exemple B: Qu'est-ce que tu vas voir au cinéma?

A: Je vais voir *Shrek*. C'est un dessin animé.

B: C'est à quelle heure? etc.

Point culture

The 24-hour clock

The 24-hour clock system is used more often in French than in English.

À sept heures trente.

À dix-neuf heures trente.

À seize heures quinze.

À vingt-deux heures quarante-cinq.

Expressions-clés

Qu'est-ce que tu vas voir au cinéma?

Je vais voir [*Harry Potter*]. C'est [un film d'aventure].

C'est à quelle heure?

C'est à [20 h 30].

LIRE
3

C'est quel film? Lis les messages.

a C'est un film d'horreur.
b Le film commence à 20 h 30.
c C'est un film policier.
d Le film est au Cinéma Rex.

Tu vas sortir demain soir? Rendez-vous à dix-sept heures quinze devant le cinéma. Le film, c'est *Nuit des Vampires*. J'adore les films d'horreur !

On va voir le nouveau film policier, *Flics Extras*, samedi au Rex. La séance commence à dix-neuf heures trente et se termine à vingt et une heures cinquante-cinq.

Je vais voir La Dimension Finale au Centre Jean Renoir ce soir. Tu veux venir avec moi? Le film commence à vingt heures trente.

Ça se dit comme ça!

Sound–spelling exceptions

1 Listen and read. Why does the pronunciation of the numbers vary?
a Le film commence à dix heures.
b Tu as dix billets pour le film?
c Le train part dans trois minutes.
d Les trois amis vont aller au cinéma.

Zoom grammaire: *aller + infinitive*

Qu'est-ce que tu vas voir au cinéma ce soir?

Je vais voir un film policier à vingt heures.

aller
je vais
tu vas
il/elle/on va + infinitive = future action
nous allons
vous allez
ils/elles vont

1 Present or future action?
a Je regarde la télé.
b On va faire du sport.
c Sophie va voir un dessin animé.
d Nous faisons de la voile.
e Je vais mettre un jean pour la boum.

2 Copy and complete with the correct form of **aller**. Then underline the infinitives.
a Je *** regarder la télé.
b Nous *** voir un film au cinéma.
c Il *** voir un film d'aventure demain soir.
d Dans dix minutes, vous *** voir une comédie.
e Tu *** adorer ce film!
f Arnaud et Matthieu *** faire du football.

➡ 144

Challenge!

A Qu'est-ce que tu vas voir au cinéma le week-end prochain?
Exemple: Le week-end prochain, je vais voir *Dracula*. C'est un film d'horreur et j'aime ça! Le film commence à vingt heures trente.

B Écris un message (comme dans l'activité 3) pour inviter un(e) ami(e) au cinéma le week-end prochain.

C Réponds à ce message.

Qu'est-ce que tu aimes comme film? Pourquoi? Tu vas aller au cinéma le week-end prochain?

Exemple: J'aime les films de science-fiction, comme *Star Wars*, parce que c'est intéressant et drôle. Par contre, je n'aime pas les westerns parce que ce n'est pas marrant …

3.3 On organise un rendez-vous

- Ask someone if they'd like to do something
- Say that you would like to do something
- Arrange a time to meet
- Arrange a place to meet

À vos marques

Jeu de mémoire: les activités du week-end.

Exemple A: Je vais aller au cinéma.
B: Je vais aller au cinéma et faire de la voile.
C: Je vais aller au cinéma, faire de la voile et danser.

c

d

a

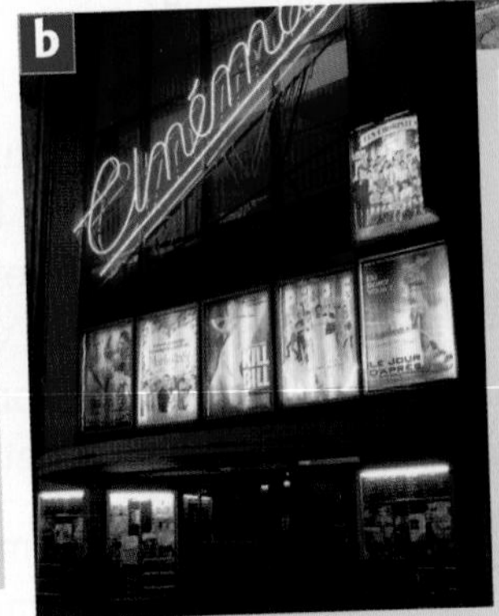
b

e

f

g

h

Écoute les conversations. C'est quelle photo? Attention! Il y a huit photos et sept conversations.

Exemple **1 a**

Réécoute. Recopie et complète la grille. Regarde les Expressions-clés.

Photo	Heure	Rendez-vous
a	6h	parc

Organise des rendez-vous avec un(e) partenaire. Utilise les détails de l'activité 1b.

Exemple A: Tu veux faire du vélo?
B: Oui, je veux bien.
A: On se retrouve à quelle heure?
B: À six heures.
A: Et on se retrouve où?
B: Au parc?
A: Oui, d'accord.

Expressions-clés

Tu veux { aller au cinéma/parc? / à la piscine/plage/patinoire? / en ville? / faire du vélo/danser/nager? }

Oui, je veux bien.

On se retrouve à quelle heure?
À cinq heures.

On se retrouve où?
Chez moi/Chez toi.
Au parc/Au café/À la piscine.
Devant la bibliothèque.

veux aller au
fé? On se
trouve à quatre
ures chez moi.
+! Quentin
a

Tu veux aller à la piscine ce soir? On se retrouve à sept heures et demie à la piscine. Téléphone-moi!
b Christelle

Salut, Amélie! Tu veux aller au cinéma ce soir? Il y a un bon film policier! On peut y aller ensemble. On se retrouve à sept heures chez toi? Le film commence à sept heures et demie. Lise
c

Éric, je veux aller à la patinoire ce soir avec Morgane. Tu veux venir aussi? On se retrouve à sept heures et quart au café. Bisous, Jeanne
d

LIRE 2a Lis ces messages et note les détails.
Exemple

	Activité	Heure	Où
a	café	4h	chez Quentin

LIRE 2b Qui …
a aime la natation?
b veut voir un film?
c aime le sport?
d va boire un Orangina?

ÉCOUTER 2c Écoute les trois personnes qui laissent des messages. C'est qui?

Guide pratique

Listening for gist and detail

- Listen several times to focus on different things.
- Listen first for gist to get a general sense of what's going on: a conversation, a speech, an interview? What clues can help you: title, visual clues? Predict what language you might hear.
- Listen at least once more for specific details.

1 If you are listening to arrangements for a date, what details might you need to note?
2 If you are listening to **la météo**, what sort of language might you expect to hear?

Zoom grammaire: *vouloir*

- You use **aller** + infinitive to talk about what you are going to do.
- You use **vouloir** + infinitive to talk about what you want to do.

Tu veux aller au cinéma ce soir? Il y a un bon film d'aventure.
Je veux bien sortir avec toi. Ah non! Je vais manger chez Matthieu.

vouloir
je veux – I want
tu veux – you want
il/elle veut – he/she wants
on veut – we want

1 Copy and complete with the correct form of **vouloir**. Translate into English.
a Tu *** aller au cinéma ce soir, Théo?
b Oui, je *** bien!
c Et Marie? Elle *** venir aussi?
d Non. Marie *** regarder la télé ce soir.
e Salut, Clément! Tu *** aller au cinéma ce soir?
f Non. Paul et moi, on *** faire du surf ce soir.

➡ 144

Challenge!

A Invite un(e) ami(e) au cinéma. Adapte le message c de l'activité 2a.

B Qu'est-ce que tu veux faire ce week-end? Écris un message pour inviter un(e) ami(e) à sortir avec toi!

C Prépare une activité de grammaire pour ton/ta partenaire sur les verbes "aller" et "vouloir" + infinitif. Prépare une feuille de réponses et corrige.
Exemple 1 Tu *** aller au parc demain? (vouloir)

3.4 Que d'excuses!

- Understand and give telephone numbers
- Make a telephone call
- Decline an invitation using *pouvoir*
- Give excuses for not going out using *devoir*

À vos marques

Choisis cinq numéros en secret. Compare avec un(e) partenaire. Vous avez choisi des numéros différents?

Exemple A: Moi, j'ai quarante-cinq.
B: Pas moi! J'ai vingt-huit.
A: Moi aussi!

LOTO

1	2	3	4	5	6	7
8	9	10	11	12	13	14
15	16	17	18	19	20	21
22	23	24	25	26	27	28
29	30	31	32	33	34	35
36	37	38	39	40	41	42
43	44	45	46	47	48	49

Lis les "Numéros utiles" et écoute. Où est-ce qu'on téléphone?

Exemple **1** Taxis

A lit un des "Numéros utiles" à haute voix. B note le numéro (livre fermé!) et puis vérifie le numéro (livre ouvert!). Ensuite, changez de rôles.

Exemple A: C'est le 02 35 06 76 76.
B: C'est l'hôpital.

Dieppe – Numéros utiles

Cinéma Rex	02 35 84 22 74
Commissariat de police	02 35 84 87 32
Électricité de France	02 35 84 96 83
Gaz de France	02 35 84 96 85
Hôpital	02 35 06 76 76
Météo régionale	02 35 65 12 34
Office de Tourisme	02 35 84 11 77
Pompiers	02 35 84 33 00
SNCF gare principale	02 35 06 69 33
Taxis	02 35 84 20 05

Écoute et lis la conversation téléphonique entre Matthieu et Juliette (à droite).

2b Relis la conversation. Trouve:

a Please may I speak to Juliette?
b Yes, hold on a moment.
c I can't.
d I've got to do my homework.

À trois, jouez la conversation.

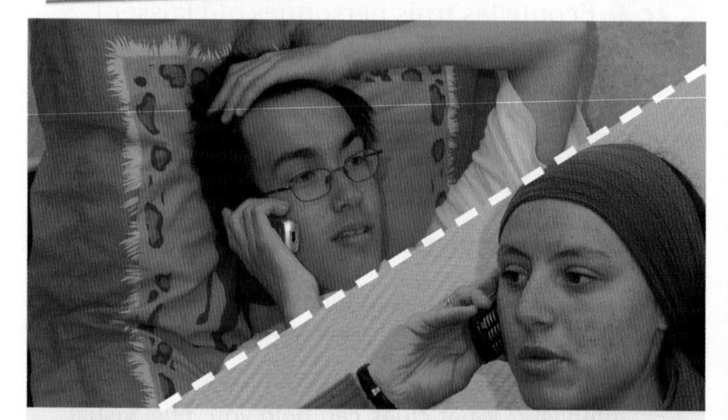

Matthieu: C'est quoi, le numéro de téléphone? Ah voilà! 02 35 11 98 52.
Mme Frontelli: Allô.
Matthieu: Allô, Juliette?
Mme Frontelli: Non, c'est sa grand-mère.
Matthieu: Est-ce que je peux parler à Juliette, s'il vous plaît?
Mme Frontelli: Oui, attends. Ne quitte pas.
Juliette: Allô, c'est Juliette.
Matthieu: Salut, Juliette. C'est Matthieu. Tu veux venir chez moi ce soir?
Juliette: Ce soir? Je ne peux pas. Je dois faire mes devoirs.
Matthieu: Demain soir alors?
Juliette: Non, je dois aller à une répétition des Pieds-Nus.
Matthieu: Ah, non. Zut!
Juliette: Désolée, Matthieu. Au revoir.

ÉCOUTER 3a Écoute. Mets les excuses dans l'ordre.
Exemple **1 e**

PARLER 3b A propose une activité. B refuse!
Exemple A: Tu veux aller à la patinoire lundi soir?
B: Non, je ne peux pas. Je dois promener le chien.

Expressions-clés

C'est quoi, le numéro de téléphone?
C'est le [04 34 56 78 91].
Allô. C'est [Matthieu]?
Oui, c'est [Matthieu].
Est-ce que je peux parler à [Arnaud], s'il te plaît/s'il vous plaît?
Oui, attends/attendez. Ne quitte pas./Ne quittez pas.

Tu veux venir chez moi/aller au cinéma?
Je ne peux pas.

Je dois { faire mes devoirs. / aller voir ma grand-mère. / garder mon frère. / promener le chien. / ranger ma chambre. }

ZOOm grammaire: pouvoir, vouloir and devoir ①

- Remember: **vouloir** + infinitive = to want to
- **Pouvoir** and **devoir** work in a similar way.

1 Using your knowledge of **vouloir** and the work you have done on these pages, copy and complete the following table.

pouvoir + infinitive (to be able to/can)	**devoir** + infinitive (to have to/must)
je ***	je ***
tu ***	tu ***
il/elle/on ***	il/elle/on ***

2 Unjumble these sentences.
a aller ville? en veux tu
b le peux chien? promener tu
c café Sophie veut au aller
d dois devoirs tes faire tu

➡144

A Recopie et complète ces phrases. Traduis en anglais.
1 Je ne peux pas [image].
Je dois .
2 Je ne peux pas .
Je dois [image].
3 Je ne peux pas .

Je dois [image].

B Adapte la conversation téléphonique, activité 2a, page 42. Change les noms, l'activité proposée et les excuses.

C Tu veux faire de l'escalade? Non? Invente d'autres excuses!
Exemple Je ne peux pas faire de l'escalade parce que je dois faire du shopping.

3.5 La belle équipe

Épisode 3

1

Natacha: Allô! Ici, Natacha. Est-ce que je peux parler à Matthieu?
Matthieu: Salut, Natacha. C'est moi!
Natacha: Ah, Matthieu, comment ça va?
Matthieu: Bof! Je dois rester une semaine au lit après l'opération. C'est nul!
Natacha: Quoi? Mais alors, tu ne peux pas venir aux répétitions des Pieds-Nus?
Matthieu: Non, je ne peux pas bouger.

2

Juliette: Sans Matthieu, qu'est-ce qu'on peut faire? On doit avoir un garçon pour les Pieds-Nus.
Natacha: Dis, Juliette! Tu aimes bien Arnaud ... et il t'aime bien aussi, non?!
Juliette: Ah bon? Tu penses? Peut-être ...
Natacha: Demande-lui de venir aux répétitions!
Juliette: Hummm ... Je peux essayer.

3 Plus tard ...

Juliette: Tu aimes bien la musique, Arnaud? Tu veux jouer avec les Pieds-Nus?
Arnaud: Juliette, j'adore écouter de la musique et regarder les émissions de musique à la télé. Mais je suis trop timide!
Juliette: Mais Arnaud, sans toi, c'est fini pour les Pieds-Nus.
Arnaud: Ce n'est pas mon problème!

4

Natacha : Alors, il vient?
Juliette: Pas de succès pour le moment!
Natacha: Allez, Juliette! Tu dois réussir!

5 Le lendemain …

Juliette: Tu es libre ce soir, Arnaud?
Arnaud: Libre? Euh … Je fais de la voile jusqu'à six heures.
Juliette: On a une répétition à sept heures. Tu peux venir alors?
Arnaud: Ah non! Encore les Pieds-Nus! Ce soir, je dois garder ma petite sœur.
Juliette: Toujours des excuses! Tu es nul! Salut! Je vais chez Matthieu.

6

Arnaud: Chez Matthieu? Pourquoi? Reste! Tu veux faire de la voile avec moi? C'est super, la voile!
Juliette: Je reste si tu viens à la répétition!
Arnaud: Quoi? …

7

Allez, Arnaud, fais ça pour Matthieu, pour Natacha. Arnaud, fais ça pour moi …!

À suivre

1 Écoute et lis. À ton avis, qu'est-ce qu'Arnaud va faire ensuite?
Listen and read. What do you think Arnaud will do next?

2 Trouve dans le texte:
- **a** after the operation
- **b** I can't move
- **c** perhaps
- **d** I can try
- **e** you must succeed
- **f** do it for me

3a Vrai ou faux?
- **a** Matthieu peut aller aux répétitions des Pieds-Nus.
- **b** Juliette pense qu'on doit avoir un garçon dans le groupe.
- **c** Arnaud veut jouer avec les Pieds-Nus.
- **d** Juliette doit persuader Arnaud de jouer avec les Pieds-Nus.
- **e** Arnaud doit garder son frère.
- **f** Arnaud veut faire de la voile avec Juliette.

3b Corrige les phrases fausses.

4 À quatre, jouez l'épisode.

3 Super-challenge!

LIRE 1a Relie les conversations.

ÉCOUTER 1b Écoute et vérifie.

1 Tu veux aller à la piscine avec moi samedi soir? Je peux te retrouver à l'arrêt de bus à six heures et demie.

2 Nous devons aller en ville demain matin. Tu veux venir? Nous pouvons prendre le bus à dix heures et demie.

3 Qu'est-ce que vous voulez manger ce soir?

4 Paul peut mettre sa casquette bleue pour aller à la discothèque, non?

5 Luc et Cédric peuvent aller à la patinoire?

6 Comme devoirs ce soir, vous devez compléter l'exercice 2 – et vous pouvez aussi lire la page 32.

a On peut aller au Macdo! On veut manger un burger-frites!

b Non, ils doivent faire leurs devoirs et puis, après, ils veulent faire du vélo au parc.

c Non, je ne peux pas, je dois aller chez ma grand-mère vers sept heures.

d Oui, bonne idée! Je veux acheter un cadeau d'anniversaire pour ma sœur.

e Oh non! Je ne peux pas faire ça. C'est trop difficile!

f Non, il veut porter une tenue habillée! Il doit trouver sa cravate rouge!

Zoom grammaire: *pouvoir, vouloir, devoir* 2

1a Re-read the conversations in activity 1 and copy and complete as much as you can of the grid below with the different forms of **vouloir**, **pouvoir** and **devoir**.

	vouloir *(to want to)*	**pouvoir** *(to be able to/can)*	**devoir** *(to have to/must)*
je	veux		
tu			
il			
elle			
on			
nous			
vous			
ils			
elles			

1b Which verb forms did you have to work out for yourself? How did you come up with your answer?

2 Copy and complete the following grammar rules about modal verbs.

a You use the present tense of **pouvoir** followed by *** to talk about what you can do.

b You use the present tense of *** followed by *** to talk about what you want to do.

c You use the present tense of *** followed by *** to talk about what you ***.

3 In pairs, translate into French.

a I must tidy my bedroom.

b Can you go to the cinema this evening?

c We want to go ice-skating.

d She must walk the dog.

e Matthieu and Arnaud can go to the swimming pool.

f I want to go to the youth club, but I have to do my homework!

➡ 144

3 Vocabulaire

Les émissions de télé	***TV programmes***
un documentaire	*a documentary*
un film	*a film*
un dessin animé (les dessins animés)	*a cartoon (cartoons)*
un feuilleton	*a soap*
un jeu (les jeux)	*a game show (game shows)*
une émission sportive	*a sports programme*
une émission pour la jeunesse	*a children's programme*
une série	*a series*
la météo	*the weather*
les informations	*the news*

Tu veux aller au cinéma/parc?	***Do you want to go to the cinema/park?***
Tu veux aller à la patinoire?	*Do you want to go to the ice skating rink?*
Tu veux aller en ville?	*Do you want to go into town?*
Tu veux faire du vélo/nager?	*Do you want to go cycling/swimming?*
Tu veux venir chez moi?	*Do you want to come to my house?*
Oui, je veux bien.	*Yes, I'd like that.*
On se retrouve à quelle heure?	*What time shall we meet?*
À cinq heures.	*At five o'clock.*
On se retrouve où?	*Where shall we meet?*
chez toi/au café/à la piscine/devant la bibliothèque	*at your house/in the café/at the swimming pool/outside the library*
Je ne peux pas.	*I can't.*
Je dois …	*I must …*

C'est quoi, le numéro de téléphone?	***What's the telephone number?***
C'est le 03 45 67 98 56.	*It's 03 45 67 98 56.*
Allô. C'est Matthieu?	*Hello. Is that Matthieu?*
Est-ce que je peux parler à Arnaud, s'il te plaît/s'il vous plaît?	*Please may I speak to Arnaud?*
Oui, attends/attendez. Ne quitte pas/Ne quittez pas.	*Yes, hold on a moment.*

Le cinéma	***The cinema***
Qu'est-ce que tu vas voir au cinéma?	*What are you going to see at the cinema?*
Je vais voir *Harry Potter*. C'est un film d'aventure.	*I'm going to see* Harry Potter. *It's an action film.*
C'est à quelle heure?	*What time is it showing?*
C'est à 20 h 30.	*It's at 8.30 pm.*

Les opinions	***Opinions***
Je préfère	*I prefer*
C'est …	*It's …*
génial/drôle	*great/funny*
intéressant	*interesting*
nul/débile	*rubbish/stupid*
Ce n'est pas …	*It's not …*
mal/marrant	*bad/funny*

Les connecteurs	***Connectives***
mais	*but*
et	*and*
parce que	*because*
aussi	*as well*
par contre	*on the other hand*
comme	*like, as*

3 Podium

I know how to:

- name different types of TV programme and say what types of TV programme I like and dislike: **J'aime les feuilletons. Je déteste les informations.**
- name different types of film: **un film d'horreur, un western**
- say what film I am going to see at the cinema: **Je vais voir** ***Harry Potter*****.**
- use the 24-hour clock and say when a film is: **Le film commence à 19 h 30.**
- ask someone if they'd like to do something: **Tu veux aller en ville?**
- say that I would like to do something: **Oui, je veux bien.**
- arrange a time and place to meet: **On se retrouve au café à sept heures?**
- give an excuse: **Je ne peux pas, parce que je dois faire mes devoirs.**
- understand and give telephone numbers: **C'est quoi le numéro de téléphone? C'est le 02 24 35 62 91.**
- make a telephone call: **Allô, c'est Matthieu? Est-ce que je peux parler à Matthieu?**
- say what I am going to do, using **aller** + infinitive: **Je vais faire du vélo.**
- use the verbs **vouloir**, **devoir** and **pouvoir** + infinitive: **Tu veux aller au café? Je ne peux pas. Je dois faire mes devoirs.**
- use connectives to give more detailed answers: **J'aime les feuilletons parce que c'est génial, mais je n'aime pas les informations parce que c'est nul!**
- listen for gist and detail
- pronounce numbers correctly in different places: **Deux billets pour le film de deux heures.**

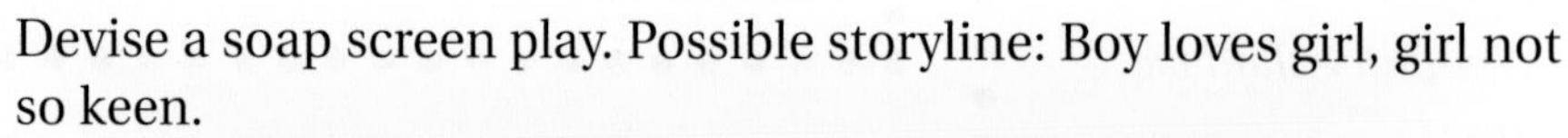

Devise a soap screen play. Possible storyline: Boy loves girl, girl not so keen.

Write a phone conversation between two characters arranging a date.

Write a script for a chance meeting in the street when the boy seizes the opportunity to try to arrange a date with the girl.

Write a description of the two main characters and then prepare a script for a few scenes when the boy tries to make a date with the girl.

4 Tous les jours

- **Contexts**: leisure activities; daily routine
- **Grammar**: *jouer à/jouer de*; revise present tense verbs; revise negatives; present tense of reflexive verbs (incl. negative); different meanings of common words; use verb tables; perfect tense with the negative
- **Language learning**: expressions of time; using connectives and time markers in writing; how to sound French; adapting a text
- **Pronunciation**: silent ending *-ent* in present tense verb forms
- **Cultural focus**: football in France; young people's daily routine; teenagers' relations with their parents

1a (ÉCOUTER) Écoute et regarde les photos. Quelle activité n'est pas mentionnée?

1b (ÉCRIRE) Fais une liste des neuf activités.
Exemple jouer au ping-pong, faire …

1c (PARLER) A pose une question pour chacune des neuf activités, B répond.
Exemple A: Tu fais de la natation?
B: Oui!

1d (PARLER / ÉCRIRE) Remue-méninges. À deux, pensez à d'autres sports et activités pour ajouter à votre liste.

4.1 Elle joue au foot, il joue du piano

- Revise sports
- Say what sports you play
- Say what musical instruments you play or would like to play
- Say how often you do activities

À vos marques

Jeu de mémoire: jouez à deux ou à trois.

Exemple A: Au Club Vacances, je joue au foot.
B: Au Club Vacances, je joue au foot et je fais de la voile.
C: Au Club Vacances, je joue au foot, je fais de la voile et je vais à la pêche. etc.

1a Tu fais les activités illustrées à droite? Tous les jours? De temps en temps? Jamais? Écris neuf phrases.

Exemple Je joue au football tous les jours.
Je fais de la natation de temps en temps.
Je ne fais jamais de voile.

1b Et ton/ta partenaire? Pose des questions.

Exemple A: Tu joues au tennis de temps en temps?
B: Non, je ne joue jamais au tennis.

Expressions-clés

Games you play: jouer au tennis/au ping-pong/au football/au hockey, etc.
Activities you do: faire du judo, de la voile, de la natation, de l'équitation, etc.
Some games you can say you do or play: faire du football/jouer au football.
de temps en temps
souvent
tous les jours
une fois / deux fois / trois fois } par semaine/par jour/par mois
ne … jamais

Guide pratique

Expressions of time

You can make sentences more detailed by adding in expressions of time such as:

every day | now and again | never | often | once a day | twice a month | three times a week

1 Match each expression above with one of the *Expressions-clés*.

2 Add in a suitable time expression.
- **a** Je regarde la télé.
- **b** Je vais à la pêche.
- **c** Mon père joue au football.
- **d** Ma grand-mère fait du judo.
- **e** Mon prof de français joue au hockey.

Point culture

Football

- Football is the most popular sport in France.
- The French national team are known as *les Bleus* because of their blue jerseys.
- *Le Championnat de France de Football* is the competition for France's 20 first-division clubs.

1 Can you name any footballers born in France or a French-speaking country who play for British clubs?

Mots-clés

le clavier	la batterie
le piano	la flûte
le violon	la guitare

Expressions-clés

Je joue du clavier/du piano/du violon.
Je joue de la batterie/de la flûte/de la guitare.
Je ne joue pas d'instrument.
le lundi, le mardi, etc.

ÉCOUTER 2a Écoute. On joue de quels instruments dans le collège de Florence?

PARLER 2b Et dans ton collège? A écrit trois instruments en secret. B devine.

Exemple B: On joue du clavier?
A: Oui!

LIRE 2c Lis l'article à droite. Vrai ou faux?

- **a** Florence joue du violon.
- **b** Elle joue le week-end seulement.
- **c** Claude ne joue pas tous les jours.
- **d** Il ne va jamais au club des jeunes.
- **e** Justin joue du clavier et de la batterie.

Planète musique

Florence a une leçon de piano une fois par semaine, le mercredi après-midi. Chez elle, elle joue du piano tous les jours.

Claude joue de la guitare électrique une heure par jour, le soir. Il joue aussi deux ou trois heures le samedi au club des jeunes avec Justin et Florence.

Justin joue de la batterie deux fois par semaine – le mercredi matin et le samedi après-midi. Il joue aussi du clavier.

ZOOM grammaire: *jouer à/de?*

sport = **jouer à la** + fem. sport
jouer au + masc. sport (**aux** = pl.)
music = **jouer de la** + fem. instrument
jouer du + masc. instrument (**des** = pl.)

1 Write sentences to say what these people play.
Example Anne joue au football.
- **a** Anne – le football, le tennis, le piano, la flûte
- **b** Bruno – le rugby, la batterie, le violon, le golf

➡ 144

A Fais des phrases.
Exemple Je joue au tennis tous les jours.

Je | Mon cousin | une fois par semaine | de la
Ma cousine | joue | au | piano | base-ball
violon | tous les jours | joue | du | football
batterie | le week-end | tennis | flûte

B Réponds aux questions.
- **a** Tu fais quels sports? Quand?
- **b** Tu joues d'un instrument de musique? Souvent?
- **c** Tu voudrais jouer d'un instrument?

C Avec un(e) partenaire, imagine une interview avec Florence, Claude ou Justin.

4.2 Ma journée

- Talk about your daily routine
- Ask someone about their daily routine
- Describe someone else's daily routine
- Write a longer description

À vos marques

Trouve l'intrus et dis pourquoi.

a la voile | la natation | l'équitation | la semaine
b un violon | une guitare | une chemise | un clavier
c dimanche | regarder | jeudi | vendredi
d le petit déjeuner | le matin | le soir | l'après-midi

Tu fais des exercices le matin?
Non, je n'ai pas le temps!

a

Pendant la semaine, je me réveille à six heures trente.

b

À six heures quarante-cinq, je me lève …

c

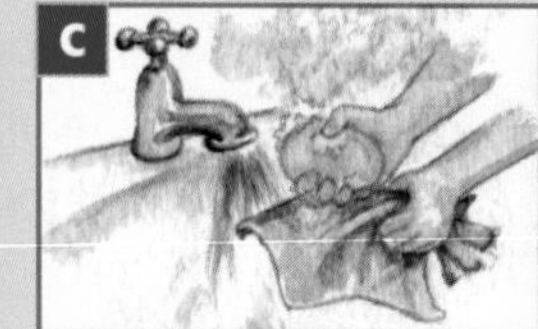

… et puis, je me lave.

d

À six heures cinquante-cinq, je m'habille.

e

À sept heures, prends l petit déjeune

f

Ensuite, me bros les dent

g

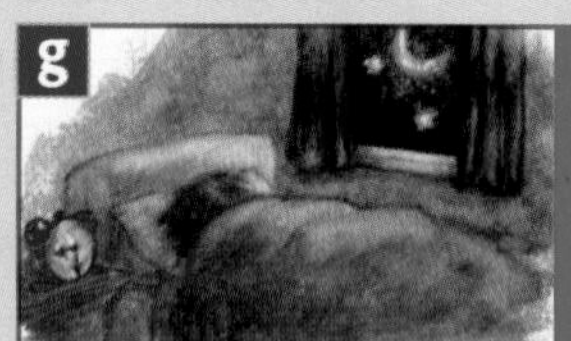

Le soir, me cou à neuf heures trente.

1a (ÉCOUTER / LIRE) Regarde les dessins. Écoute et lis.

1b (ÉCOUTER / LIRE) Écoute Juliette. C'est quel dessin? Note l'heure.

2a (ÉCRIRE) Réponds aux questions à droite pour Juliette.
Exemple **1** Je me réveille à

2b (ÉCRIRE) Recopie et complète le questionnaire pour toi.

2c (ÉCRIRE) Utilise tes réponses pour écrire une description de ta journée. (Lis d'abord Guide pratique, p. 53.)

2d (PARLER) Interviewe ton/ta partenaire. Pose les questions du questionnaire.

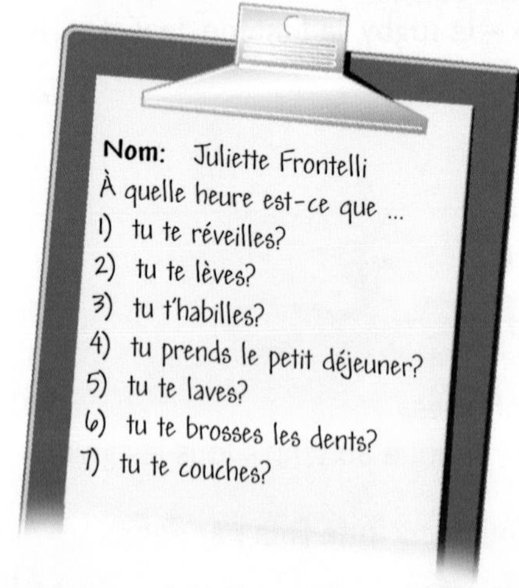

Nom: Juliette Frontelli
À quelle heure est-ce que …
1) tu te réveilles?
2) tu te lèves?
3) tu t'habilles?
4) tu prends le petit déjeuner?
5) tu te laves?
6) tu te brosses les dents?
7) tu te couches?

Expressions-clés

je me réveille	je prends le petit déjeuner
je me lève	je me brosse les dents
je me lave	je me couche
je m'habille	à + *time*

Guide pratique

Writing a longer description

- Say when (**le matin, à huit heures**, etc.)
- Say where (**dans la cuisine, devant la télé**, etc.)
- Use connectives (**et, mais, ensuite, puis**, etc.)

1 Rewrite these sentences following the advice above.

Example À huit heures, je prends mon petit déjeuner dans la cuisine, puis je m'habille.

a Je m'habille. Je vais au collège.
b Je me réveille. Je me lève immédiatement.
c Je me brosse les dents. Je ne me lave pas.

Relie les descriptions aux illustrations à droite.

Exemple **1 d**

a À 20 h 30, le match commence.
b Au stade, il se prépare pour l'entraînement. Il s'habille dans les vestiaires.
c L'après-midi, il se repose en famille.
d À 8 h 30, le réveil sonne. Pierre se réveille.
e De 10h à 11h, il s'entraîne.
f À midi, il fait une interview pour la télé.

A décrit une illustration. B donne le numéro.

Exemple A: Il se réveille.
B: Numéro 1.

ZOOM grammaire: *reflexive verbs* 1

- Some verbs have a little pronoun between the subject and the verb. They are called reflexive verbs because the pronoun reflects the subject.

je me lave – I wash (myself)
tu te laves – you wash (yourself)
il/elle se lave – he/she washes (himself/herself)
on se lave – we wash (ourselves)

- Before silent **h** or a vowel, **me/te/se = m'/t'/s'** (**il s'habille**, etc.)

1 Write out these sentences adding in the missing reflexive pronouns.

a Je *** réveille à six heures.
b Elle *** lève après moi.
c Tu *** couches à quelle heure?
d Mon frère *** réveille tard.

➡ 143

24 heures avec un star du foot – Pierre Rousseau

1 2 3 4 5 6

A Réponds au questionnaire, p.52, pour Pierre Rousseau. (Invente les détails qui ne sont pas donnés.)

Exemple Je me réveille à huit heures et demie.

B Décris la matinée de Juliette (voir p.52).

Exemple Juliette se réveille à six heures trente. etc.

C Écris une description plus détaillée des 24 heures de Pierre Rousseau.

Exemple Le matin, à 8 h 30, le réveil sonne dans la chambre de Pierre et il se réveille. Ensuite, …

4.3 À la maison

- Name different household chores
- Say what you do/don't do on a regular basis
- Use verb tables
- Improve your speaking skills

À vos marques 

Écris les phrases pour Dracula.

Jemeréveilletouslesjoursà minuitJemecouchelematinà sixheuresJemebrosseles dentsunefoisparjour

Pour aider à la maison, on peut …

a *ranger sa chambre*

b *faire la cuisine*

c *faire le ménage*

d *faire les courses*

e *faire son lit*

f *mettre le couvert*

g *faire la vaisselle*

1a Écoute et note les suggestions.

Martin | Nathalie | Antoine
Flore | Thomas | Kristelle

Exemple Martin: e

PARLER 1b A mime une tâche. B devine.

Exemple B: Faire le ménage?
A: Non, faire son lit.

ÉCRIRE 1c Fais une liste des tâches. 1 = la plus agréable, 7 = la moins agréable.

Expressions-clés

faire son lit
faire le ménage
faire la cuisine
faire les courses
faire la vaisselle
ranger sa chambre
mettre le couvert

Écoute Matthieu. Trouve le dessin (p.54) qui ne va pas.

Interviewe ton/ta partenaire.

Exemple A: Qu'est-ce que tu fais pour aider à la maison? Tu fais ton lit?
B: Oui, je fais mon lit tous les jours.
A: Tu ranges ta chambre?
B: Non. Je ne range jamais ma chambre.

Guide pratique

Sounding French

- Hesitation words can help you to sound more French.

1 Listen to this man. How many times does he use each of the following?

euh ... | bof ... | ben ... | tu sais

2 Use these notes to tell your partner what you do at home, adding in some of the French hesitation words above.

je me lève/7h
petit déjeuner/7 h 30
je fais mon lit/7 h 45
collège/8h

Zoom grammaire: *using verb tables*

- Not sure what form of a verb to use? Look it up in the verb tables on p.139 of this book.
- All pronouns (**je**, **tu**, **il**, etc.) are listed.
- If you want to know what follows **Mon frère** or **Ses robes**: My brother = he, so look up **il**; **robes** = feminine plural, so look up **elles**.

1 Use the verb tables to find the right present tense form of the infinitives given here.

a tu (être)
b on (porter)
c Juliette et Natacha (vouloir)
d nous (boire)
e mes parents (être)
f vous (manger)
g Juliette et Arnaud (aller)
h ils (prendre)
i la grand-mère (danser)

2 Now find the right perfect tense form of the infinitives given here.

a je (avoir)
b elle (faire)
c mon frère et moi (avoir)
d les profs (faire)
e tu (mettre)

➡ 139/142

Challenge!

A Qu'est-ce que tu fais pour aider à la maison? Écris sept phrases.

Exemple Je fais les courses le samedi matin. Je ne mets jamais le couvert.

B Écris un paragraphe pour expliquer ce que chaque membre de ta famille fait à la maison. C'est juste?

Exemple Mon père fait la cuisine le week-end, mais ma mère fait la cuisine pendant la semaine.

C À deux, imaginez une interview avec une personne très travailleuse (ou très paresseuse).

Exemple A: Tu fais le ménage tous les jours?
B: Non, je ne fais jamais le ménage parce que c'est difficile et c'est fatigant.
A: Tu fais la vaisselle?
B: Je fais la vaisselle une fois par semaine ... etc.

4.4 J'ai donné un coup de main

- Say what you have/haven't done to help at home
- Use the negative with the past tense
- Adapt a text

À vos marques

Trouve dans la lettre d'Arnaud:

a trois pièces
b trois tâches ménagères
c quelque chose à manger
d cinq verbes au présent
e cinq verbes au passé composé

Cher Paul,

Tu m'as posé des questions sur mon week-end. Alors. aujourd'hui, je vais t'expliquer ce que j'ai fait le week-end dernier.

Le week-end, en général, je me lève à neuf heures. Samedi matin, j'ai mangé dans la cuisine. Après, j'ai fait la vaisselle et j'ai fait les courses avec mon demi-frère Nicolas. J'ai fait mon lit, mais je n'ai pas rangé ma chambre. Je déteste ça!

L'après-midi, j'ai retrouvé mes amis au club des jeunes à deux heures. On a joué au ping-pong, mais je n'ai pas gagné. Je suis nul! Le soir, à la maison, j'ai écouté mes CD et j'ai regardé un film d'horreur à la télé. Aaaargh! Normalement, le week-end, je me couche à dix heures et demie.

Dimanche matin, je suis allé à la plage et j'ai fait de la voile. C'était génial! La voile, c'est mon passe-temps préféré. À midi, on a mangé dans la salle à manger, avec mes grands-parents. On a mangé du poulet avec des frites. Ensuite, j'ai promené le chien et j'ai fait mes devoirs. En général, j'aime bien le week-end.

Et toi, qu'est-ce que tu as fait le week-end dernier?

Ciao

Arnaud

LIRE 1a Lis la lettre. Arnaud a passé un bon week-end?

PARLER 1b Donne à ton/ta partenaire trois raisons pour ta réponse à l'activité 1a.

ÉCOUTER LIRE 2 Écoute la mère d'Arnaud. Elle parle d'Arnaud, mais elle fait des erreurs. Vrai ou faux?

Guide pratique

Adapting a text

It is not considered cheating to adapt a text to write about yourself.

A First, choose the parts to change.
B Pick out the bits that you won't use.
C Now you have a writing frame.

1 Write what you did last week-end. Adapt Arnaud's letter by changing the green bits.
Example Le week-end, en général, je me lève à dix heures et quart.

Expressions-clés

Qu'est-ce que tu as fait?

Lundi, Hier, Ce week-end, Le week-end dernier,	j'ai fait la cuisine. j'ai fait la vaisselle. j'ai fait mon lit. j'ai fait le ménage. j'ai fait les courses. j'ai mis le couvert. j'ai rangé ma chambre.

Je n'ai pas fait la cuisine.
Tu n'as pas fait ton lit.
Ils n'ont pas fait les courses.

Zoom grammaire: *the perfect tense in negative statements*

✓ *j'ai rangé* ma chambre

✓ *ils ont fait* les courses

✗ *je **n'**ai **pas** rangé* ma chambre

✗ *ils **n'**ont **pas** fait* les courses

1a Maxime Lementeur has been telling lies. Write out the true version of his day by making all his statements negative.

Ce matin, j'ai fait mon lit et j'ai rangé ma chambre. Marion a mis le couvert pour le petit déjeuner et elle a préparé le café. Mes parents ont fait les courses l'après-midi, et ils ont fait le ménage. Papa a fait la cuisine à sept heures et Marie et moi, nous avons fait la vaisselle.

1b Listen to Maxime saying what he really did and check your answers.

➡ 145

Challenge!

A Écris ce que Martin et Nathalie ont fait pour aider à la maison samedi dernier.
Exemple Martin a fait la cuisine …

B Explique ce que tu as fait et n'as pas fait pour aider à la maison le week-end dernier.
Exemple Samedi matin, j'ai fait mon lit, mais je n'ai pas rangé ma chambre. Ensuite, …

C Les filles font plus de travail à la maison que les garçons? Fais un sondage dans ta classe. Interviewe tes camarades de classe et présente les résultats.
Exemple

La semaine dernière, tu as …
fait ton lit?
rangé ta chambre?
promené le chien?
lavé la voiture?

Résultats du sondage
La semaine dernière, quatre filles ont fait la cuisine, mais seulement trois garçons. En général, les garçons ne font pas la vaisselle. etc

4.5 La belle équipe

Épisode 4

1

Natacha: Alors, tu as parlé à Arnaud? Qu'est-ce qu'il a dit?
Juliette: Il a dit "oui".
Natacha: Ouf! Génial!
Juliette: Il vient au club des jeunes ce soir à sept heures. Tu peux venir aussi?
Natacha: Oui, pas de problème! À ce soir!

2 Le soir, au club des jeunes …

Juliette: Les répétitions sont hyper-importantes. On se retrouve tous les jours?
Arnaud: Ah non! Tu exagères! Une fois par semaine, ça suffit!
Natacha: Non, ça ne suffit pas. Trois fois par semaine … minimum!
Arnaud: Quoi??? Trois fois par semaine!
Juliette: S'il te plaît, Arnaud. Sois sympa.

3

Juliette: Alors, on se retrouve le mercredi à deux heures, le vendredi à cinq heures et le dimanche à onze heures. Tu as noté, Arnaud?
Arnaud: Oui, oui, c'est noté!
Natacha: Et maintenant, on va chez Matthieu. Sa mère dit qu'il s'ennuie. Tu viens avec nous, Arnaud?
Arnaud: Oui, bonne idée.

4 Plus tard, dans la chambre de Matthieu …

Arnaud: Ça va, Matthieu?
Matthieu: Pff! C'est nul!
Natacha: Tu dois rester au lit?
Matthieu: Oui! Je me réveille le matin à six heures pour les médicaments, je me lève à sept heures, je me lave, je prends mon petit déjeuner, mais je ne m'habille pas parce que je dois retourner au lit à neuf heures!

5

Matthieu: Alors, Juliette a fait de la voile avec toi?
Arnaud: Oui, elle est assez bonne.
Matthieu: Et tu vois Natacha tous les jours pour les répétitions?
Arnaud: Ben … trois fois par semaine … Mais, tu es jaloux ou quoi?

6 C'est la première répétition …

Juliette: Tu commences là … Ensuite, c'est Natacha … et puis, c'est moi. Tu comprends?
Arnaud: Oui, pas de problème! À vos ordres, chef!!
Natacha: Allez, on commence!
Arnaud: *Je joue de la guitare, tu joues de la batterie, mais qui joue du clavier?*

7

C'est atroce! Ça fait mal aux oreilles! Natacha, qu'est-ce qu'on va faire?

À suivre

1a Écoute et lis. Quel est le problème?

1b Trouve dans le texte:
- **a** what did he say?
- **b** no problem!
- **c** see you this evening!
- **d** once a week is enough
- **e** be nice
- **f** are you jealous?
- **g** whatever you say, boss!
- **h** what are we going to do?

2a Réécoute le début de l'épisode. Écoute bien l'intonation des personnages. Qu'est-ce qu'ils pensent?

2b Répète les phrases de l'image 2 et imite l'intonation!

3 Relie et recopie les phrases.
- **a** Juliette veut des répétitions …
- **b** Ils décident de se retrouver …
- **c** Ils vont chez Matthieu parce que …
- **d** Matthieu s'ennuie parce qu'…
- **e** Matthieu est jaloux parce qu'…
- **f** Les filles ne sont pas contentes quand …

1. trois fois par semaine.
2. Arnaud ne chante pas bien.
3. tous les jours.
4. il doit rester au lit.
5. sa mère dit qu'il s'ennuie.
6. Arnaud voit souvent les filles.

4 En groupes de quatre, jouez l'épisode.

4 Super-challenge!

Opinions sur les adolescents

a Ils ne sont pas sympa.

b Ils se couchent tard.

c Ils ne respectent pas la discipline.

d Ils se ressemblent tous.

e Le week-end, ils ne se lèvent pas avant midi.

f Ils se disputent avec leurs frères et sœurs.

g Ils ne s'intéressent pas au travail scolaire.

h Ils s'ennuient toujours.

LIRE 1a Lis les opinions. Cherche les mots que tu ne connais pas dans le glossaire. Tu es d'accord?

Exemple **a** Oui, je suis d'accord./Non, je ne suis pas d'accord.

ÉCOUTER 1b Écoute les interviews. Note les opinions dans l'ordre mentionné.

Exemple **a**, …

ÉCRIRE ÉCOUTER 1c Continue les contradictions de Matthieu. Ensuite, écoute et vérifie.

En général, les adolescents sont sympa. Ils ne se couchent pas tard. Ils respectent la discipline …

Ça se dit comme ça!

-ent

1 Listen. How is **-ent** pronounced in these verbs?

ils se lèv**ent** | elles se couch**ent** tard | ils se disput**ent**

2 Read these phrases aloud. Listen to check.

a ils se ressembl**ent** tous
b elles s'ennui**ent**
c ils ne s'intéress**ent** pas au travail scolaire.

Zoom grammaire: reflexive verbs 2

- **je me lave** / **tu te laves** / **il/elle/on se lave**
  nous nous lavons / **vous vous lavez** / **ils/elles se lavent**

1 Copy and complete these sentences with the correct form of the verb in brackets.

a Je *** à dix heures le week-end. (se lever)
b Vous *** à quelle heure le samedi soir? (se coucher)
c Les enfants *** toujours à six heures. (se réveiller)
d Nous *** et *** après le petit déjeuner. (s'habiller, se laver)

- **Je ne me lave pas.** **Ils ne s'ennuient pas.**

2 Find two similar examples in bubbles **a–h**.

3 Complete the rule:
Put **ne** ❶ the reflexive pronoun and put **pas** ❷ the verb.
See page 145.

4 Make these sentences negative.

a Je me lève tard.
b Tu te couches avant minuit?
c Natacha s'intéresse au sport.
d Elles se réveillent à six heures.

5 Are opinions **a–h** true for you?

Example Je suis sympa. Je ne me couche pas tard. etc.

➡ 143

4 Vocabulaire

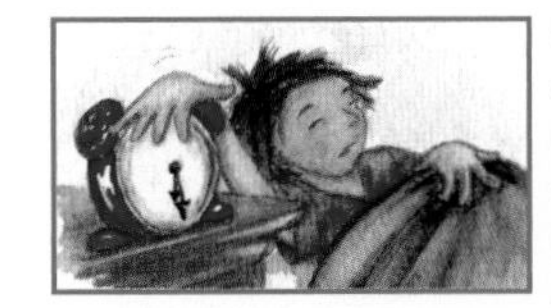

Le sport	Sport
J'aime bien faire du judo.	*I like to do judo.*
faire de la voile	*to go sailing*
faire de la natation	*to go swimming*
faire de l'équitation	*to go horse-riding*
jouer au tennis/au ping-pong	*to play tennis/table tennis*
jouer au football/ au hockey	*to play football/ hockey*

La musique	Music
Tu joues de quel instrument?	*What instrument do you play?*
Je joue de la guitare/ de la flûte/de la batterie.	*I play the guitar/the flute/the drums.*
Il joue du piano/ du clavier/du violon.	*He plays the piano/ the keyboard/the violin.*
Je ne joue pas d'instrument.	*I don't play an instrument.*

Quand?	When?
de temps en temps	*occasionally, now and then*
souvent	*often*
tous les jours	*every day*
une fois par semaine/ par jour/par mois	*once a week/ a day/a month*
deux fois, trois fois, etc.	*twice, three times, etc.*
ne … jamais	*never*
le lundi, le mardi, etc.	*on Mondays, on Tuesdays, etc.*

Ma journée	My day
À quelle heure est-ce que tu te réveilles?	*What time do you wake up?*
je me réveille à sept heures	*I wake up at seven o'clock*
je me lève	*I get up*
je me lave	*I have a wash*
je m'habille	*I get dressed*
je prends le petit déjeuner	*I have breakfast*
je me brosse les dents	*I brush my teeth*
je me couche	*I go to bed*

Les tâches ménagères	Household chores
faire la cuisine	*to do the cooking*
faire la vaisselle	*to do the washing-up*
faire son lit	*to make your bed*
faire le ménage	*to do the housework*
mettre le couvert	*to set the table*
faire les courses	*to do the shopping*
ranger sa chambre	*to tidy your bedroom*

Qu'est-ce que tu as fait?	What did you do?
Lundi, j'ai fait la cuisine.	*On Monday, I did the cooking.*
Hier, j'ai fait la vaisselle.	*Yesterday, I did the washing-up.*
Ce week-end, j'ai fait mon lit.	*At the weekend, I made my bed.*
Le week-end dernier, j'ai fait le ménage.	*Last weekend I did the housework.*
J'ai mis le couvert.	*I set the table.*
J'ai fait les courses.	*I did the shopping.*
J'ai rangé ma chambre.	*I tidied my bedroom.*
Je n'ai pas fait la cuisine.	*I didn't do the cooking.*
Tu n'as pas fait ton lit.	*You didn't make your bed.*
Ils n'ont pas fait les courses.	*They didn't do the shopping.*

4 Podium

I know how to:

- say what sports I do/don't do, using **faire de**: **Je fais de la natation, de l'équitation, du judo**, etc.
- say what sports I do/don't play, using **jouer à**: **Je joue au football, au hockey, au ping-pong, au tennis**, etc.
- say what musical instruments I play, using **jouer de**: **Je joue du piano, de la guitare**, etc.
- say how often I do activities: **Je joue au football tous les jours. Je vais à la pêche de temps en temps. Le lundi, j'ai un cours de piano**, etc.
- talk about my daily routine: **En général, je me réveille à six heures et demie, je me lève et je me lave dans la salle de bains**, etc.
- ask someone about their daily routine: **À quelle heure est-ce que tu te couches?** etc.
- describe someone else's daily routine: **Il se prépare pour l'entraînement. Il s'habille dans les vestiaires. Il se repose en famille**, etc.
- name different household chores: **ranger sa chambre, faire son lit, faire la vaisselle, mettre le couvert**, etc.
- say what I do/don't do on a regular basis: **Je fais la cuisine tous les jours. Je ne fais jamais les courses. Le week-end, je fais le ménage**, etc.
- say what I have/haven't done to help at home: **J'ai fait la vaisselle. J'ai mis le couvert. Je n'ai pas rangé ma chambre. Je n'ai pas fait mon lit**, etc.
- use reflexive verbs: **je me réveille, tu te laves, il se brosse les dents**, etc.
- use verb tables
- use the perfect tense in the negative: **Je n'ai pas fait les courses.**
- write a longer description
- sound French
- adapt a text

You are going to do some research about daily routine and household tasks to find out whether boys are lazier than girls.

Write a questionnaire (minimum six questions): À quelle heure est-ce que tu te lèves? Tu fais ton lit tous les jours? etc.

In groups of four or five, interview one another and record the results.

Without a script, interview a partner. Perform your interview for the class or record it on cassette.

3-4 Révisions

Regarde d'abord les pages 35–62.

1

Cher Martin,
Tu veux venir au cinéma ce soir? Il y a un bon film d'aventure à 19 h 30. On se retrouve chez moi à sept heures.
Jasmine

2

Salut, Marilyne!
J'adore les jeux à la télé. Tu veux regarder "Questions pour un champion" sur France 3 chez moi ce soir? L'émission commence à dix-huit heures vingt. Tu veux venir?
Manon

3

Bonjour, Alex!
Cet après-midi, je fais du skate en ville. Tu veux venir? On se retrouve devant le collège à cinq heures.
Antoine

4

Nathalie, tu vas au club des jeunes ce soir? On peut jouer au ping-pong ou écouter de la musique. On se retrouve chez moi à sept heures et demie pour aller au club?
Mustafa

a

Bonne idée! Le ping-pong, c'est mon sport préféré parce que c'est amusant! Mais attention: je ne joue pas bien! À+

b

J'adore les films d'aventure! À ce soir sept heures.

c

Désolée, mais je ne veux pas regarder la télé ce soir. Je déteste les jeux et je dois faire mes devoirs.

d

Je ne peux pas. Je dois garder mon frère après le collège.

LIRE 1a Trouve la bonne réponse pour chaque message.
Match the answers to the messages.

ÉCRIRE 1b Écris un message comme Jasmine, Manon, Antoine ou Mustafa.

ÉCRIRE 1c Échange ton message avec un(e) partenaire. Écris une réponse.
Answer your partner's message from activity **1b**.

ÉCOUTER 2a Écoute. Pour chaque conversation, note:

quel film? **heure?** **on se retrouve où?**

PARLER 2b Invente des conversations.

Exemple

A: Tu veux aller au cinéma ce soir?
B: Oui, c'est quel film?
A: C'est un film d'horreur.
B: Le film commence à quelle heure?
A: À sept heures trente.
B: Et on se retrouve où?
A: Chez moi?
B: D'accord.

Écoute et lis. Numérote les questions dans l'ordre où tu les entends.

Listen to Esmée and read questions a–i. Number the questions in the order you hear them.

Exemple **1c**

a Qu'est-ce que tu fais pour aider à la maison?
b Tu regardes souvent la télé?
c À quelle heure est-ce que tu te réveilles le week-end?
d Tu joues d'un instrument de musique?
e Qu'est-ce que tu aimes voir au cinéma?
f Tu aimes aller au cinéma?
g Tu aimes les émissions pour la jeunesse?
h Tu fais du sport le week-end?
i Tu te couches à quelle heure?

Réécris les questions dans le bon ordre.

Exemple **1** À quelle heure est-ce que tu te réveilles le week-end?

Réécoute et note les réponses d'Esmée.

Exemple **1** huit heures et demie

Écris/Enregistre le week-end d'Esmée.

Write or record a description of Esmée's weekend.

Exemple

Le week-end, Esmée se réveille …
Pour aider à la maison, Esmée …
Elle est très sportive. Elle …
Esmée aime la télé et le cinéma. Elle …

Écoute et complète l'emploi du temps d'Hugo.

Listen and complete Hugo's timetable.

A pose les questions (trois minimum). B répond pour Hugo.

Exemple

A: Qu'est-ce que tu fais à sept heures et demie?
B: Je mets le couvert et je prépare le petit déjeuner.

Qu'est-ce qu'Hugo a fait au travail hier? Écris six activités.

Exemple À dix heures et demie, il a fait les courses.

Ma journée typique! Je …

06h30	me réveille, me lève, …
07h30	mets le couvert, prépare …
09h00	
09h30	
10h00	
10h30	
11h30	
18h00	
20h00	
21h00	
23h00	

Je m'appelle Hugo.
Je suis anglais, mais
je travaille en France
dans un chalet!
C'est génial!

5 Voyages et vacances

- **Contexts**: travel and holidays
- **Grammar**: the perfect tense with *avoir* and *être*; prepositions *à/en/au/aux*
- **Language learning**: detailed descriptions
- **Pronunciation**: reading aloud (revision of sound–spelling links); *-ille, -eil, -agne* sounds
- **Cultural focus**: French-speaking countries; travelling in France

Quiz: Ici, on parle français!

1 Quel pays francophone n'est pas sur les photos?
a le Maroc **b** le Québec **c** la Belgique
d la Suisse **e** le Congo **f** la France

2 Quelles sont les deux îles des Antilles françaises?
a la Martinique **b** la Guadeloupe **c** la Corse

3 Dans quel pays africain on ne parle pas français?
a au Sénégal **b** au Cameroun **c** au Nigeria

4 Dans quel pays "bonjour" veut quelquefois dire "au revoir"?
a en France **b** aux Antilles **c** au Québec

5 Au Sénégal, un chéri-coco, c'est …
a une boisson **b** un poisson **c** un fiancé

6 Au Niger, si on prend "le train onze" (11) …
a on va en train **b** on va en taxi **c** on va à pied

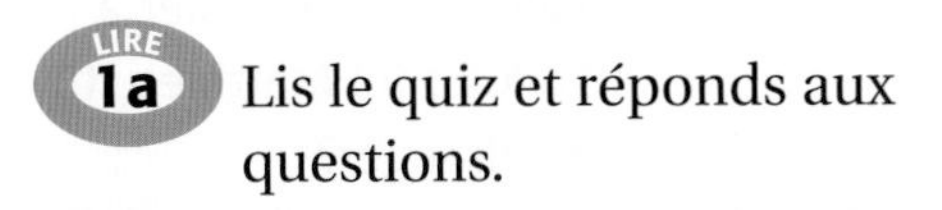

LIRE **1a** Lis le quiz et réponds aux questions.

ÉCOUTER **1b** Écoute et vérifie.

PARLER **2** De mémoire, nomme:
- **a** les cinq pays sur les photos
- **b** trois îles françaises
- **c** trois pays africains francophones

ÉCRIRE **3** Remue-méninges. À deux, faites une liste de pays francophones.

5.1 À l'étranger

- Name countries and capital cities
- Say which countries you are going to or have been to
- Say which countries you'd like to go to
- Use the correct preposition

À vos marques 

a Relie les capitales aux pays en 30 secondes.
Exemple Berlin – Allemagne
b Vérifie avec la classe.
Exemple Berlin, c'est en Allemagne.

Copenhague
Bruxelles
Lisbonne
Amsterdam
Berlin
Oslo
Berne
Athènes

l'Allemagne
le Danemark
la Belgique
la Grèce
le Portugal
la Norvège
les Pays-Bas
la Suisse

1a (ÉCOUTER / LIRE) Écoute et lis le dialogue à droite.

1b (LIRE) Trouve:
a I went **b** I'm going **c** I'd like to go

1c (PARLER) À quatre, jouez la scène avec l'intonation!

1d (PARLER) À quatre, adaptez la conversation. Changez les pays et les villes soulignés. Attention aux prépositions!
Exemple Natacha: Ah là là! J'aimerais bien aller en Allemagne!

Natacha: Ah là là! J'aimerais bien aller en Martinique!
Juliette: Moi aussi!
Arnaud: Tu es déjà allée dans quels pays, Juliette?
Juliette: Je suis allée aux États-Unis et au Canada, avec mon père ... et je vais à Londres en octobre! Et toi, tu es allé où?
Arnaud: Moi, je suis allé en Espagne et au Maroc, avec mes parents. J'aimerais bien aller à New York. Et toi Matthieu, tu es allé à l'étranger?
Matthieu: Oui, je suis allé en Italie. À Noël, je vais à Vienne, en Autriche, avec ma mère!
Natacha: Super! J'aimerais bien voyager! Je ne suis jamais allée à l'étranger.
Juliette: Alors, il faut absolument gagner le concours de théâtre pour aller aux Antilles!!!

ÉCRIRE **2** Recopie et complète la lettre de Matthieu, à droite, avec les mots.

est allé | est allée | n'est jamais allée | aimerait bien aller | va | aux | au | à

Chère Maman

J'ai vu Arnaud, Natacha et Juliette. Ils répètent beaucoup pour le concours de théâtre.

Natacha veut aller **1** ______ Antilles!!!! Elle **2** ______ à l'étranger. Arnaud **3** ______ en Espagne et au Maroc et il **4** ______ à New York. Juliette, elle, **5** ______ aux États-Unis et **6** ______ Canada. En octobre, elle **7** ______ à Londres! J'aimerais bien, moi aussi! Un jour peut-être! Je suis content d'aller **8** ______ Vienne avec toi à Noël.

Zoom grammaire: aller à + ville; aller en/au/aux + pays

1 Make three lists with the countries named in *À vos marques.*
* masculin * féminin * pluriel

2 Match the prepositions to the correct category:

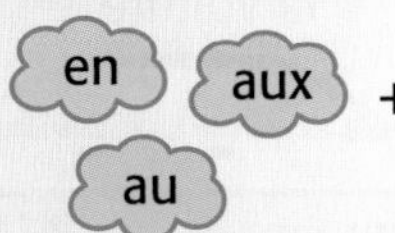

\+ pays masculin / pays féminin / pays pluriel

3 Look at the prepositions used and work out the gender of the countries named in the conversation on page 66.
Example **en** Martinique: **la** Martinique

4 Say you'd like to go to each of the countries listed in *À vos marques.*
Example J'aimerais aller en .../au .../aux ...

➡ 135-6

Expressions-clés

Je suis allé(e) Je ne suis jamais allé(e) Je vais J'aimerais bien aller	à l'étranger à + *ville* en/au/aux + *pays*

Point culture

La Francophonie

Environ 170 millions de personnes parlent français dans le monde. (460 millions parlent anglais.) Il y a plus de 51 pays francophones. Il y a 10 territoires français dans le monde (voir carte).

1 Summarize *Point culture* in English and compare your version with a partner's.

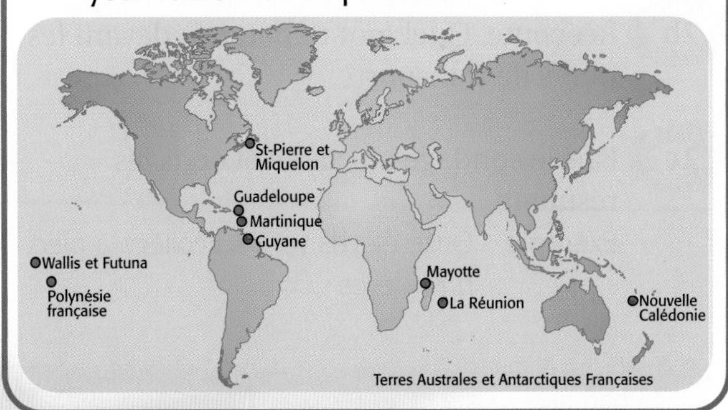

Challenge!

A Écris le nom de six pays où tu aimerais aller. Ton/Ta partenaire devine.
Exemple B: Tu aimerais bien aller en Suisse?
A: Non./Oui, j'aimerais bien aller en Suisse!

B Réponds aux questions.
1 Tu es allé(e) dans quels pays?
2 Tu vas à l'étranger bientôt?
3 Tu aimerais aller où (ville/pays)?

C Écris un texte sur le(s) pays où tu aimerais aller et dis pourquoi. Utilise toutes les Expressions-clés!
Exemple **J'aimerais bien aller** en France **parce que** je ne suis jamais allé(e) à l'étranger. L'été, en général, je vais en vacances chez ma grand-mère à Hastings.

5.2 À pied ou en voiture

- Name means of transport
- Say what transport you use/don't use to go places
- Say what you think of different means of transport
- Use the correct preposition

À vos marques

Regarde les Mots-clés pendant 20 secondes. Ferme le livre. Tu t'en rappelles combien?

ÉCRIRE 1a Choisis tes cinq moyens de transport préférés.

Exemple J'aime bien prendre …

PARLER 1b Devine les transports préférés de ton/ta partenaire en premier!

Exemple A: Tu aimes bien prendre le bus?
B: Non, je n'aime pas prendre le bus.
A: Tu aimes bien prendre la voiture? etc.

ÉCOUTER 2a Sondage: "Comment est-ce que tu vas au collège?" Écoute et note les moyens de transport mentionnés.

ÉCOUTER 2b Réécoute. Quel mot tu entends devant les noms de transport?

PARLER ÉCRIRE 2c Fais le sondage en classe et écris les résultats.

Exemple Onze élèves vont au collège à pied, huit élèves …

Mots-clés

le bus
la moto
la voiture
l'Eurostar
le bateau
le vélo
le train

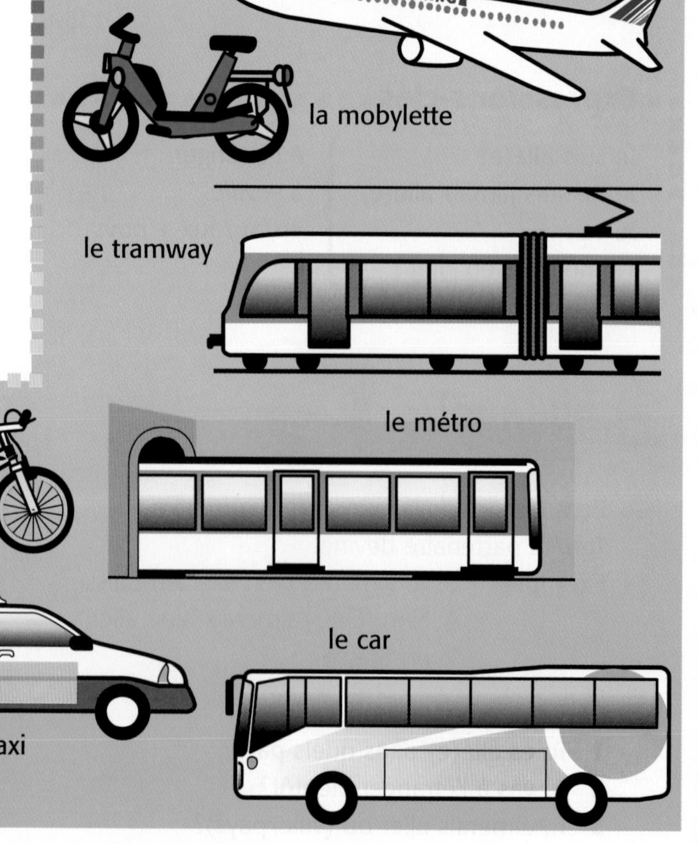

Zoom grammaire: à/en + transport

1 Listen to the rap and note each means of transport (page 68) and its preposition. When do you use **à**? and **en**?

2 Play a game of Word Tennis with a partner.
Example A: Bus!
B: En bus! Pied!
A: À pied! etc.

➡136

Expressions-clés

J'aime bien/Je n'aime pas prendre ...
Je prends/Je ne prends jamais ...
l'avion/le bus/la voiture etc.
parce que c'est ...
+ (très) pratique/pas (trop) cher/
(très) rapide/(très) confortable
– (trop) dangereux/(trop) cher/(trop) long
Comment est-ce que tu vas (au collège)?
Je vais (au collège)/Je ne vais pas ...
à pied/vélo/moto/mobylette
en voiture/taxi/bus/car/métro/train, etc.

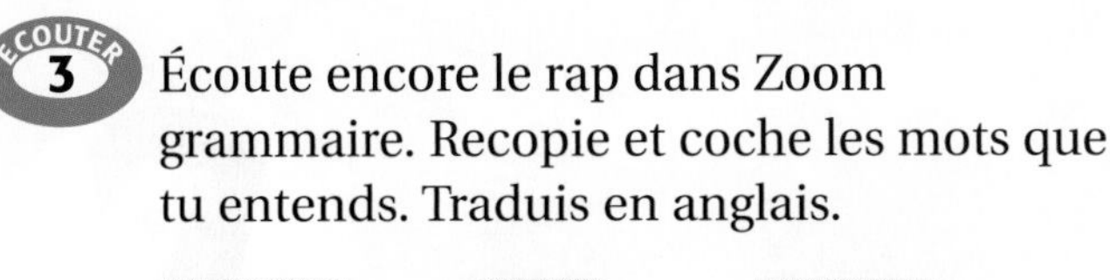

ÉCOUTER 3 Écoute encore le rap dans Zoom grammaire. Recopie et coche les mots que tu entends. Traduis en anglais.

pratique | cher | pas cher
dangereux | rapide | confortable

LIRE 4a Lis et complète la lettre de Léo à droite avec les mots de l'activité 3.

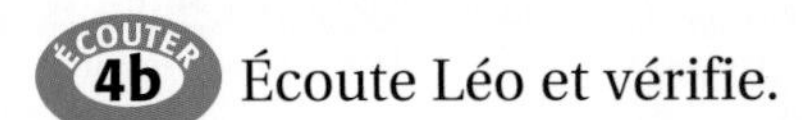

ÉCOUTER 4b Écoute Léo et vérifie.

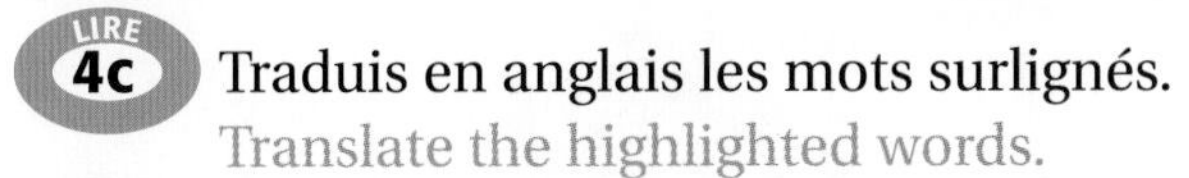

LIRE 4c Traduis en anglais les mots surlignés.
Translate the highlighted words.

PARLER 5 Qu'est-ce que tu penses des transports? Discute avec ton/ta partenaire.
Exemple A: Tu aimes bien prendre le taxi?
B: Oui, mais je ne prends jamais le taxi parce que c'est trop cher.

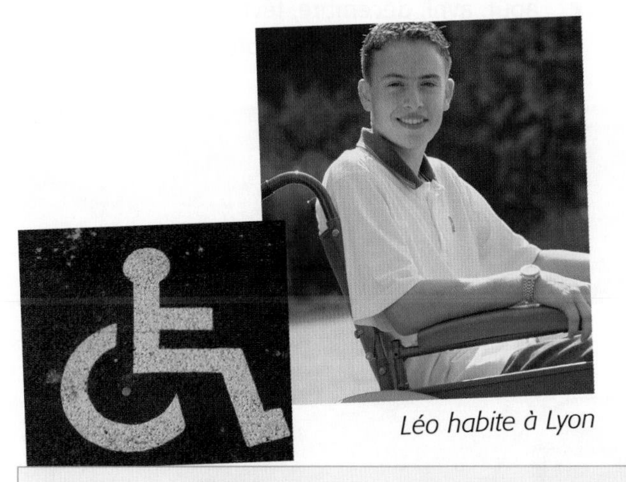

Léo habite à Lyon

Je vais au collège en voiture avec ma mère. Quand je vais en ville, je ne prends jamais le bus: ce n'est *** ***, mais pour moi, ce n'est pas très ***. Je ne prends pas le métro parce que c'est un peu *** quand on est en fauteuil roulant.*

Pour voyager, j'aime bien prendre l'avion, c'est *** mais c'est trop ***. Alors, je prends le train, c'est assez *** .

* wheel chair

Challenge!

A Invente une phrase pour chaque moyen de transport (Mots-clés).
Exemple Je vais au collège à pied.
Je vais en ville en bus.
Je vais aux États-Unis en avion, etc.

B Écris des phrases comme dans l'activité A et ajoute une opinion.
Exemple Je vais au collège à pied parce que c'est bon pour la santé.

C Écris un texte comme celui de Léo pour:
- une dame de 80 ans (en ville)
- une femme d'affaires (au bureau)
- un étudiant (à l'université)

5.3 Vacances de rêve!

- Say where you went on holiday
- Say when you left
- Say how long you stayed and how you travelled
- Use the perfect tense with *être*

À vos marques 

Complète les suites logiques.

a le 21 mars, le 21 juin, le 21 septembre, ?
b janvier, mars, ?, juillet, ?, novembre
c août, avril, décembre, février, ?, ? juin, mai, ?, ?, octobre, septembre

1a (LIRE) Relie les réponses aux questions dans les Expressions-clés.

1b (ÉCOUTER / ÉCRIRE) Écoute et note les réponses des trois personnes.

1 Où? **2** Départ?
3 Durée? **4** Transport?

1c (PARLER) À deux, faites les interviews de Fatia, Jérémy et Céline. Adaptez les Expressions-clés.

Exemple A: Tu es allée où?
B: Je suis allée à l'Alpe d'Huez. etc.

2 (PARLER) Invente une destination de rêve. Ton/Ta partenaire t'interviewe.

Exemple A: Tu es allé(e) où en vacances?
B: Je suis allé(e) en Chine.
A: Tu es parti(e) quand? etc.

Expressions-clés

1 Tu es allé(e) où?
2 Tu es parti(e) quand?
3 Tu es resté(e) combien de temps?
4 Tu as voyagé comment?

a J'ai pris [l'avion].
b Je suis allé(e) à/au/aux/en [Inde].
c Je suis parti(e) le [20 juillet].
d Je suis resté(e) [une semaine/un mois].

Zoom grammaire: the perfect tense 2

- You already know the perfect tense form of **aller**:
  part of **être** and not **avoir**

  je suis allé(e)

  past participle (agrees like an adjective)

1 Find more verbs on p. 70 which follow that pattern in the perfect tense.

- Verbs involving physical movement from one place to another tend to use **être** and not **avoir** in the perfect tense, although not all do!

2 Try to work out which 10 verbs from this list need **être**. One of them doesn't involve any movement but still takes **être**. (See Expressions-clés.)

aller · aimer · arriver · écouter
descendre · entrer · faire · mettre
monter · partir · pêcher · prendre
rester · sortir · tomber · venir

3a How can you best remember the verbs needing **être**? Listen and draw arrows for each movement in the song on the right.
Example Je suis parti(e) ● ⟶

3b Sing along and learn the words!
Remember: the past participles need to agree like adjectives: **il est allé, elle est allée, ils sont allés, elles sont allées**

Aventure à Tahiti!
Je suis parti(e) de Paris
Je suis arrivé(e) à Tahiti
Je suis entré(e), je suis sorti(e)
je suis allé(e), je suis venu(e)
je suis monté(e), je suis descendu(e)
Je suis tombé(e), aïe, aïe, aïe!
Je suis resté(e) deux jours au lit
Et je suis rentré(e) à Paris.

➡ 142

Challenge!

A Recopie et complète la bulle.

*…e suis all*** en vacances à la …ontagne avec Noémie. Je suis …art*** le 2 février. Le premier …ur, Noémie est mont*** et elle …st descend*** sur les pistes, super! Moi, je suis mont***, …mais je suis tomb***! Aïe aïe …ïe! Je suis rest*** à l'hôpital …ix jours. Je suis rentr*** à la …aison en ambulance! Noémie …st rest*** à la montagne … Grrr!*

B Choisis des vacances p. 70 (A, B ou C). Invente les détails et réponds aux questions des Expressions-clés.
Exemple Je suis allé(e) en Guadeloupe. etc.

C Invente une destination de rêve, comme dans l'activité 2. Raconte.
Exemple Je suis allé(e) en vacances en Afrique du Sud. Je suis parti(e) en juin et je suis resté(e) trois mois. J'ai pris l'avion et aussi le bateau et le train. etc.

5.4 C'était vraiment sympa!

- Ask what someone did during the holidays
- Describe a holiday in more detail
- Ask and say how it was and whether you liked it
- Read aloud, using sound–spelling links

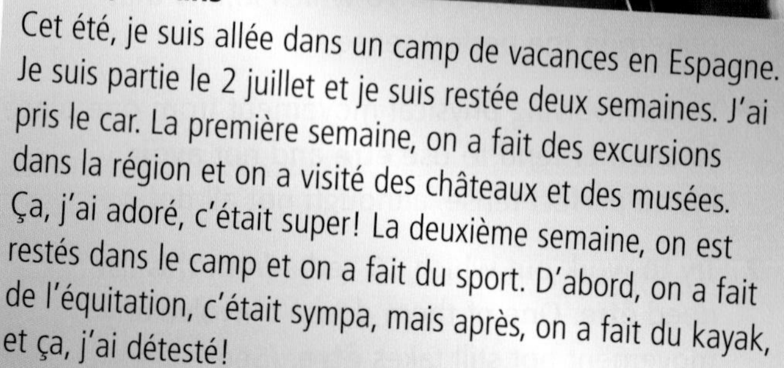

Élodie, 15 ans

Cet été, je suis allée dans un camp de vacances en Espagne. Je suis partie le 2 juillet et je suis restée deux semaines. J'ai pris le car. La première semaine, on a fait des excursions dans la région et on a visité des châteaux et des musées. Ça, j'ai adoré, c'était super! La deuxième semaine, on est restés dans le camp et on a fait du sport. D'abord, on a fait de l'équitation, c'était sympa, mais après, on a fait du kayak, et ça, j'ai détesté!

À vos marques 

En deux minutes, trouve dans les textes:

a deux pays et trois villes
b quatre moyens de transport
c quatre activités que tu aimes faire
d quatre activités que tu n'aimes pas

Emmanuelle, 14 ans

Pendant les vacances, je suis allée aux États-Unis avec mes parents. On est partis le 3 août. On est restés deux semaines. On a pris l'avion pour New York. D'abord, on est restés quatre jours à New York. On a visité beaucoup de musées. Moi, je n'ai pas aimé. C'était vraiment moche! Après, on est allés à Miami en avion. Là, on est restés une semaine. On a visité la région en voiture et on est allés à la plage. J'ai beaucoup aimé Miami, c'était vraiment génial.

Corentin, 15 ans

Moi, je ne suis pas parti, je suis resté à la maison, ici à Dieppe. D'abord, je suis sorti avec mes copains: on a fait du vélo et on a joué au foot au parc. C'était sympa. On est aussi allés au centre commercial, mais c'était nul parce que moi, je déteste les magasins! On est allés au cinéma. Le soir, j'ai regardé la télé ou joué sur ma console avec mon frère. Voilà! Ce n'était pas super. Moi, j'aimerais vraiment partir parce que je ne suis jamais allé à l'étrange

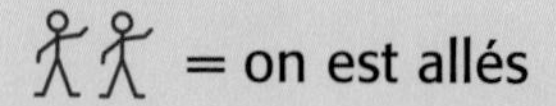

= on est allés

= on est allées

= on est allés

1 Écoute les interviews et note les questions (voir Expressions-clés). Traduis: "C'était comment?" en anglais.

2a Lis les textes. Réponds aux questions pour chaque personne.

Exemple Emmanuelle: 1 Tu es allée où en vacances?
Je suis allée aux États-Unis, à New York et à Miami.

2b Lis le texte à haute voix.

Expressions-clés

1. Tu es allé(e) où?
2. Tu es parti(e) quand?
3. Tu es resté(e) combien de temps?
4. Tu as voyagé comment?
5. Qu'est-ce que tu as fait pendant les vacances?
   D'abord … Après …
   Je suis allé(e)/resté(e) …
   J'ai fait/vu/visité/mangé/bu …
6. C'était comment?

C'était (vraiment) sympa/super/génial!
J'ai (bien) aimé/J'ai adoré!

C'était (vraiment) moche/nul!
Je n'ai pas aimé/J'ai détesté!

2c A choisit un rôle. B pose les questions 1–6 (Expressions-clés). A répond de mémoire (1 point par bonne réponse). Changez de rôle.

Exemple B: Tu es allé(e) où?
A: Je suis allée en Espagne.
B: Tu es Élodie!

ÉCRIRE 3 LIRE À trois. A: Réponds à la question 1 dans les Expressions-clés sur une feuille, puis plie et passe la feuille à B.
B: Réponds à la question 2 sur la feuille pliée, puis plie encore et passe à C, etc.
À la fin, dépliez et lisez.
Play this game of consequences.

1 Je suis allé sur Mars.
2 Je suis parti le 12 juillet.
3 Je suis resté un week-end.
4 J'ai pris le bateau.
5 J'ai fait du ski.
6 C'était génial!

Challenge!

A Écris une description des vacances d'Emmanuelle, Élodie ou Corentin. Utilise "il" ou "elle".
Exemple Il n'est pas parti. Il est resté à la maison …

B Jeu du "Ni oui ni non". A pose des questions: B ne doit pas dire "oui" ni "non"!
Exemple A: Tu es allé(e) en vacances?
B: Je suis allé(e) en vacances.
A: Tu n'es pas resté(e) à la maison?
B: … Euh … Je suis allé(e) chez mes grands-parents. etc.

Guide pratique

Writing a detailed description

A Read or listen to the topic/question carefully.

Qu'est-ce que tu as fait pendant les vacances?

B Note down the main idea. Then think of all the relevant details you can (where, when, how long, how, etc.) and make a mind map.

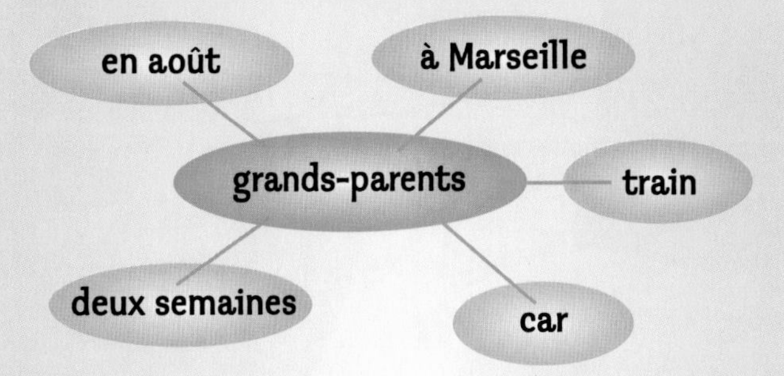

C Write sentences using connectives.
Je suis allé chez mes grands-parents, près de Marseille. Je suis parti le 2 août et je suis resté deux semaines. D'abord, j'ai pris le train parce que c'est pratique. Après, j'ai pris le car. Ce n'était pas très cher, mais ce n'était pas confortable …

D Add your opinion to make your text more interesting.
Je suis allé chez mes grands-parents, à Marseille. J'ai adoré, c'était génial! Ils sont vraiment super! Je suis parti le 2 …

1 In pairs, imagine a holiday. Take turns to add a detail.
Example
A: On est allés en Écosse.
B: On est allés en Écosse. On est partis en août.
A: On est allés en Écosse. On est partis en août et on est restés deux semaines. etc.

C Imagine: un(e) touriste français(e) est venu(e) en vacances dans ta ville. Écris sa lettre. Donne le plus de détails possible!
Exemple Je suis allée en vacances à Chipping Sodbury. JK Rowling est née là! Je suis partie de Paris le 3 mars et je suis restée une semaine. J'ai pris l'Eurostar et le train. J'ai visité la région. C'était super! J'ai fait … etc.

5.5 La belle équipe

Épisode 5

1 Une semaine plus tard

Matthieu: Alors, Arnaud est allé à toutes les répétitions? C'était comment?
Natacha: C'était affreux!!! Il est nul!
Matthieu: Il ne chante pas bien, mais il a du rythme! À la limite, il peut faire un rap.
Juliette: Super idée! Tu es génial en rap, toi! On fait les dernières répétitions ici et tu donnes tes idées! D'accord?
Matthieu: Moi, je veux bien … si Arnaud est d'accord.

2

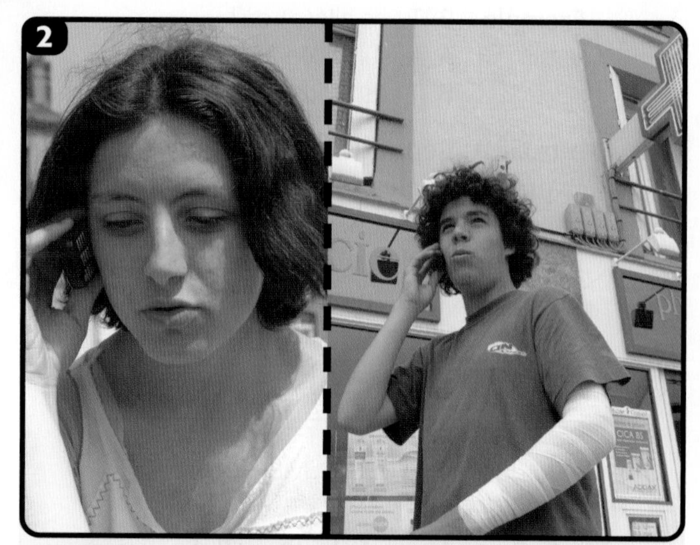

Juliette: Arnaud? Tu es où? Tu es en retard!
Arnaud: Je suis à la pharmacie! J'ai eu un accident de mobylette quand je suis rentré du collège.
Juliette: Oh non! C'était grave?
Arnaud: Non, mais j'ai mal au bras.
Juliette: Ah, rien de grave? Alors, viens vite chez Matthieu! On t'attend. Prends le bus! Ciao!

3 Plus tard …

Natacha: Arnaud, Matthieu va t'aider à faire un rap.
Arnaud: Ah, je vois! Monsieur "Je-sais-tout-faire" va m'aider! Quel honneur! Oh, merci, merci, votre Grandeur!
Matthieu: Oh, ça va, hein! Si tu n'es pas content …
Juliette: Grrrrrrrrr! Les mecs, arrêtez!

4 Le jour de l'audition

Juliette: Tu vas au théâtre? Super! Tu vas en voiture avec ton père?
Matthieu: Non, il est parti en ville. Je prends un taxi. C'est cher, mais c'est moins fatigant que le bus. Viens avec moi!
Juliette: Euh … D'accord! Je préfère le taxi à la mobylette d'Arnaud … c'est moins dangereux!

5
Juliette et Matthieu??
Mais, qu'est-ce qui se
passe?

6 Après les auditions …

Juge: Quel talent vous avez tous! La décision finale est difficile. Les gagnants du premier prix sont … Les Pieds-Nus!!! Félicitations aux nouvelles stars! Juliette, Natacha et Arnaud!!!

7
Oui, bravo! Et bravo, Arnaud. Bien
joué! À toi, le voyage aux Antilles
… avec Natacha et Juliette …

À suivre

1 Écoute et regarde les photos!

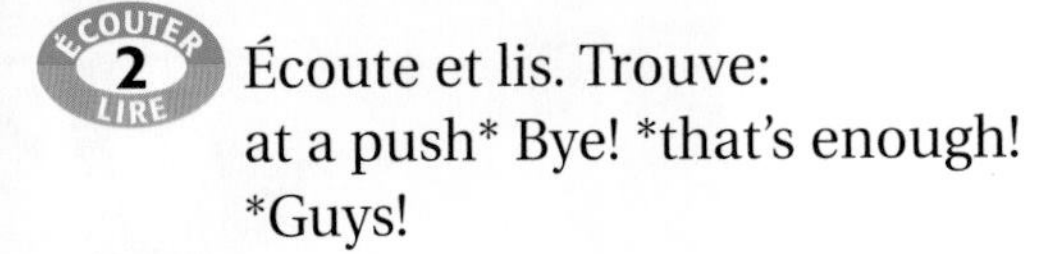
2 Écoute et lis. Trouve:
at a push* Bye! *that's enough!
*Guys!

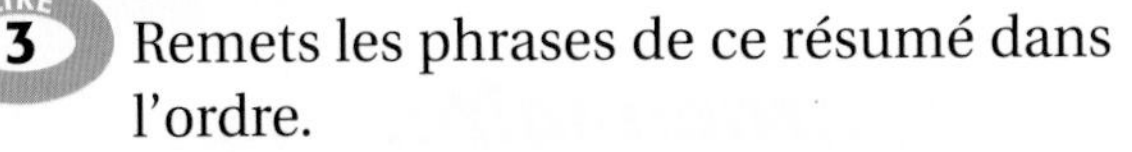
3 Remets les phrases de ce résumé dans l'ordre.
Put these sentences in order.

a Matthieu veut bien aider Arnaud, mais Arnaud n'est pas très content.
b Matthieu est content, mais un peu jaloux d'Arnaud.
c Matthieu pense qu'Arnaud peut faire un rap.
d Arnaud va à la répétition chez Matthieu après son accident.
e Natacha pense qu'Arnaud chante mal.
f Arnaud est jaloux quand il voit Juliette avec Matthieu.
g Les Pieds-Nus gagnent le premier prix du concours.
h Juliette va à l'audition en taxi avec Matthieu.

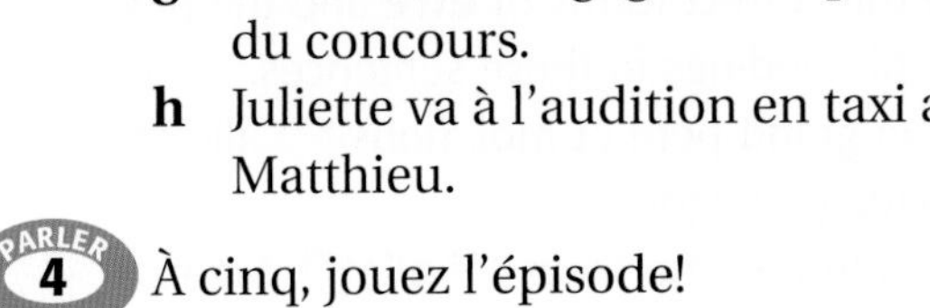
4 À cinq, jouez l'épisode!

5 Super-challenge!

Amina Kayendé et sa sœur Azéla sont nées en France et habitent à Paris. Cet été, pour la première fois, elles sont allées en Afrique, au Burkina Faso, le pays de leurs parents. Amina raconte.

Nous sommes parties avec ma mère en juillet. Nous avons pris l'avion pour Ouagadougou, la capitale. Quand nous sommes descendues de l'avion, il faisait très très chaud! Nous avons pris un bus pour Bobo-dioulasso et là, un taxi pour le village de maman. C'était long! Nous sommes restées deux mois au village.

Quand nous sommes arrivées, notre grand-mère a fait un repas typique. Maman et Azéla ont aidé et moi, j'ai pris des photos! Tous les gens du village sont venus manger et faire la fête! C'était génial! Le soir, nous sommes allées dormir chez ma grand-mère. Les femmes et les filles sont restées en bas, les hommes et les garçons sont montés à l'étage.

Nous avons fait des excursions dans la région. Ma préférée? Le lac de Tengrela avec les hippopotames! Nous sommes aussi sorties avec nos cousins à mobylette pour aller à Bobo-dioulasso. Là, nous sommes allés au restaurant et au cinéma. Un soir, il y avait une fête au village: on a chanté, dansé et joué du tambour! C'était génial!

Nous sommes rentrées à Paris avec de bons souvenirs du Burkina!

un repas = meal	en bas/à l'étage = downstairs/upstairs
les gens = people	le tambour = drum

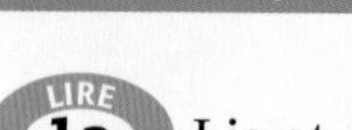

Lis et écoute le texte. Trouve:
* deux pays * trois villes
* quatre moyens de transport

Relis et trouve:
- **a** it was very hot
- **b** it was long
- **c** it was great
- **d** there was a celebration

Relis. Trouve les phrases qui répondent aux questions:
- **a** Vous êtes parties quand?
- **b** Vous avez voyagé comment?
- **c** Vous êtes restées combien de temps?
- **d** Qu'est-ce que vous avez fait quand vous êtes arrivées?
- **e** Qu'est-ce que vous avez visité?

Écris un résumé du texte à partir des questions de l'activité 1c.

Exemple Mme Kayendé et ses deux filles sont parties en juillet. Elles ont pris …

ZOOM grammaire: *plural forms of the perfect tense*

1 List the verbs in the perfect tense:

verb with **être** + past participle	verb with **avoir** + past participle
elles sont nées	nous avons pris

2 What do you notice about the past participle in the plural form (masculine and feminine)?

3 What happens to the past participle with **nous**?

4 Fill in the correct forms of **être** and the past participle endings in these sentences.
- **a** Mon grand-père et moi, nous *** allé*** à Ouagadougou.
- **b** Ma mère et ma sœur *** allé*** nager.
- **c** Vous *** tombé*** dans le lac?
- **d** Mes cousins et moi *** allé*** à Ouagadougou.

➡ 142

5 Vocabulaire

Je suis allé(e) …	*I went/have been …*
Je ne suis jamais allé(e) …	*I've never been …*
Je vais …	*I go/I'm going …*
J'aimerais bien aller …	*I'd love to go …*
à l'étranger	*abroad*
à + *ville*	*to + town*
en/au/aux + *pays*	*to + country*

Je vais (au collège) …	***I go to school*** …
en +	*by +*
(le) bateau/(l') avion	*boat/plane*
(le) bus/(le) car	*bus/coach*
(le) train/(l')Eurostar	*train/Eurostar*
(le) métro/(le) tramway	*underground/tram*
(la) voiture/(le) taxi	*car/taxi*
à +	*on/by +*
(la) mobylette/(la) moto	*moped/motorbike*
pied/(le) vélo	*foot/bicycle*

J'aime bien/Je n'aime pas prendre le [bus] …	***I like/don't like taking the [bus]*** …
parce que c'est …	*because it's …*
très/trop/assez/un peu	*very/too/rather/a bit*
pratique	*handy*
cher/pas cher	*expensive/cheap*
rapide/long	*quick/long*
confortable	*comfortable*
dangereux	*dangerous*

Tu es allé(e) où?	***Where did you go?***
Je suis allé(e) à Paris/ en France.	*I went to Paris/ France.*
Tu es parti(e) quand?	*When did you leave?*
Je suis parti(e) le [20 juillet].	*I left on [20 July].*
Tu es resté(e) combien de temps?	*How long did you stay?*
Je suis resté(e) une semaine/ un mois.	*I stayed a week/ a month.*
Tu as voyagé comment?	*How did you travel?*
J'ai pris [l'avion].	*I took [the plane].*

Qu'est-ce que tu as fait pendant les vacances?	***What did you do during the holidays?***
D'abord … Après …	*First … Afterwards …*
je suis partie(e)	*I left*
je suis arrivé(e)	*I arrived*
je suis entré(e)	*I went in*
je suis sorti(e)	*I went out*
je suis allé(e)	*I went*
je suis venu(e)	*I came*
je suis monté(e)	*I went up/climbed*
je suis descendu(e)	*I went down*
je suis tombé(e)	*I fell*
je suis resté(e)	*I stayed*
je suis rentré(e)	*I came back*
On est allés [à la plage].	*We went [to the beach].*
On a fait des excursions.	*We went on trips.*
On a visité [la région].	*We visited [the area].*
On a fait du sport.	*We played sport.*
J'ai joué [au foot].	*I played [football].*
J'ai regardé [la télé].	*I watched [TV].*

C'était comment?	***How was it?***
C'était (vraiment) sympa/super/génial!	*It was (really) nice/super/great!*
J'ai (bien) aimé/J'ai adoré!	*I liked it/loved it!*
C'était moche/nul!	*It was horrible/awful!*
Je n'ai pas aimé/J'ai détesté!	*I didn't like it/I hated it!*

5 Podium

I know how to:

- name some French-speaking countries and regions: **le Québec, le Sénégal, etc.**
- name some countries and capital cities: **le Portugal, la France, Paris, Berlin, etc.**
- say which countries I am going to, have been to or have never been to: **Je vais/Je suis allé(e)/Je ne suis jamais allé(e) en France.**
- say which countries I'd like to go to: **J'aimerais bien aller en France.**
- say what transport I use/don't use to go places: **Je vais au collège en bus/à pied.**
- say what I think of different means of transport: **J'aime bien/Je n'aime pas prendre le bus parce que c'est pas cher/long.**
- say where I went on holiday: **Je suis allé(e) en vacances en France.**
- say when I left: **Je suis parti(e) le 20 juillet.**
- say how long I stayed: **Je suis resté(e) un mois.**
- say how I travelled: **J'ai pris le car.**
- ask what someone did during the holidays: **Qu'est-ce que tu as fait pendant les vacances?**
- say what I did during my holidays: **Je suis resté(e) à la maison. On a fait des excursions, etc.**
- ask and say how it was: **C'était comment? C'était super/nul!**
- say whether I liked something or not: **j'ai bien aimé/j'ai adoré/je n'ai pas aimé/j'ai détesté**
- use the correct preposition in front of names of countries and transport: **en France, au Portugal, aux Pays-Bas; en avion, à vélo**
- use the perfect tense with être: **Je suis allé(e), etc.**
- add more detail to the description of my holiday: **D'abord … Après … parce que … mais …**
- read texts aloud, remembering the sound–spelling links
- pronounce words ending in **-ille/-eille** and **-agne** correctly: **Antilles, soleil, Espagne, montagne**

List all the means of transport you've used and say where you went: J'ai pris le bus pour aller en ville. J'ai pris l'avion pour aller …

Imagine you have a penfriend in Paris and you've just spent a week at his or her place. Write 60 words giving details of your stay (when you left, how long you went for, how you travelled, what you did).

Do the same as above but write 100 words, adding more details and giving your opinion.

6 Une visite en France

- **Contexts**: town; directions; trip to France
- **Grammar**: imperatives; *c'était* + adjective
- **Language learning**: understanding a text; improving your dictionary skills; improving your writing
- **Pronunciation**: the sound *r*
- **Cultural focus**: Paris

2

3

4

LIRE 1 Relie les textes et les images.

LIRE 2a Trouve:

a every day
b today
c yesterday
d tomorrow

LIRE 2b Recopie les verbes dans la bonne colonne.

présent	passé	futur
j'adore		

LIRE 3a Relie le français et l'anglais:

1	à côté de	**a**	opposite
2	en face de	**b**	next to
3	près de	**c**	near to

ÉCRIRE 3b Recopie correctement.

Exemple **a** en face de la piscine

a en face de + la piscine
b près de + le parc
c en face de + l'hôpital
d à côté de + l'église

a Bisous d'Afrique! Géniales, les vacances, parce que j'adore les animaux sauvages. Hier, j'ai vu des éléphants énormes et un beau lion.

b J'adore Courchevel et la neige est fantastique! J'ai fait du ski tous les jours et je suis beaucoup tombé. L'hôtel est à côté de l'hôpital, alors ça va!!

c Salut! Je m'amuse bien ici. Il fait super beau et je fais de la natation tous les jours. Notre hôtel est bien situé, près de la plage! Aujourd'hui, j'ai visité le château. C'était intéressant.

d Salut! J'adore la capitale de la France! Mon hôtel a une vue superbe sur la Tour Eiffel et on est en face du métro. Demain, je vais visiter le musée du Louvre.

Rappel

de + le = **du**   de + l' = **de l'**
de + la = **de la**   de + les = **des**

6.1 Qu'est-ce qu'il y a ici?

- Revise talking about what's available in town
- Understand a publicity brochure
- Improve your dictionary skills

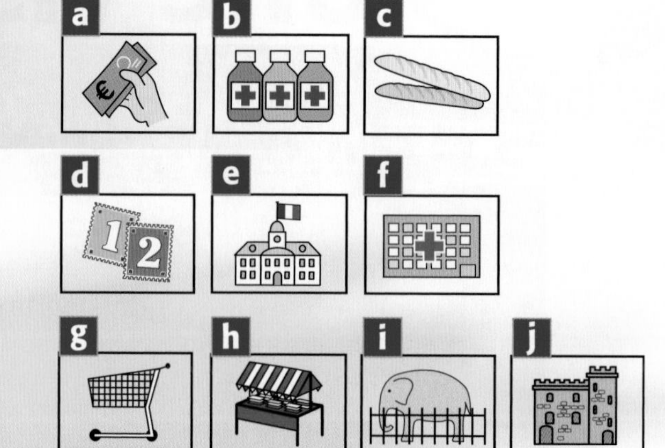

À vos marques

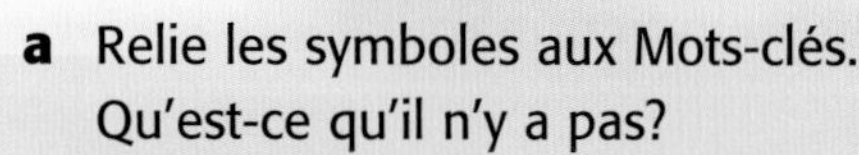

a Relie les symboles aux Mots-clés. Qu'est-ce qu'il n'y a pas?
b Écoute et vérifie.

Mots-clés

un château	une banque
un hôpital	une boulangerie
un marché	une église
un musée	une mairie
un office de tourisme	une pharmacie
un supermarché	une plage
un zoo	une poste

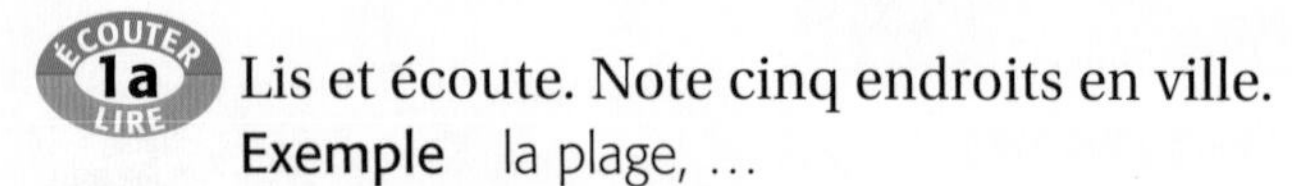

1a ÉCOUTER LIRE Lis et écoute. Note cinq endroits en ville.
Exemple la plage, ...

1b LIRE Trouve:
- **a** Is there a good supermarket near here?
- **b** 200 metres away
- **c** next to the tourist information office
- **d** is it far?
- **e** opposite the cinema

2a ÉCOUTER Écoute les cinq conversations et note la destination.

2b ÉCOUTER Réécoute. Note les distances. Quel est l'endroit le plus proche?
Which is the nearest place?
Exemple **1** musée, 200m

3 PARLER A choisit trois symboles et trois distances en secret. B pose les questions des Expressions-clés pour deviner les symboles. Vous avez 60 secondes.
Exemple B: Est-ce qu'il y a un musée près d'ici?
A: Oui, il y a un musée.
B: C'est loin?
A: Non, c'est à deux cents mètres.
B: Est-ce qu'il y a une pharmacie?
A: Non, il n'y a pas de pharmacie.

Arnaud: Salut, Natacha!
Natacha: Salut! Je vous présente Mélanie. Elle vient de Suisse, mais elle est chez mon voisin pendant deux semaines.
Juliette: Bonjour, Mélanie. Tu aimes Dieppe?
Mélanie: Oui, beaucoup. J'adore la plage! Mais je dois faire du shopping. Est-ce qu'il y a un bon supermarché près d'ici?
Arnaud: Oui, il y a un supermarché à 200 mètres, à côté de l'office de tourisme.
Mélanie: Et la pharmacie, c'est loin?
Juliette: Tu connais le cinéma? Il y a une pharmacie en face du cinéma.
Mélanie: Merci. Bon, j'y vais ... À bientôt!

Expressions-clés

Est-ce qu'il y a une pharmacie près d'ici?
Oui, il y a une pharmacie.
Non, il n'y a pas de pharmacie.

C'est loin?
Non, c'est près du parc/de la poste/de l'hôpital.
C'est à 200 mètres.
Oui, c'est à deux kilomètres.

Dieppe, l'été sympa

Le château-musée
Ouvert tous les jours de 10h à 12h et de 14h à 18h. Collection de peintures et d'objets en ivoire

La Cité de la mer
Musée des techniques de pêche
Ouvert tous les jours, de 10h à 19h

Le front de mer
La plage, avec une piscine chauffée, un mini-golf, des courts de tennis, une aire de jeux

Et beaucoup d'autres choses encore!
Des églises historiques, une vieille ville, un marché très animé, des cafés, des restaurants, des magasins, un casino, des salles de jeux, un parc, un centre sportif, des boîtes sympa … Dieppe, c'est chouette!

Centre culturel Jean Renoir
Médiathèque, ouverte du mardi au samedi de 15h à 18h (vidéothèque, bibliothèque)
Salle de spectacle: théâtre, danse, cinéma

Les Tourelles
Monument historique, ancienne porte des fortifications de la ville

Le port
Avec ses bateaux de pêche, de commerce et de plaisance

LIRE 4 Lis les informations touristiques. Qu'est-ce qu'il y a à Dieppe? Fais une liste.

Exemple À Dieppe, il y a un/une …/ il y a des …

Guide pratique

Using a dictionary ②

- Some words have several meanings.

flat [1] *n* **(a)** (GB) appartement *m*; **one-bedroom ~** deux pièces *m inv* **(b) the ~ of** le plat de *[hand, sword]*
[2] *adj* **(a)** (gen) plat/-e; *[nose, face]* aplati/-e
(b) *[tyre, ball]* dégonflé/-e; **to have a ~ tyre** avoir un pneu à plat
(c) *[refusal, denial]* catégorique **(d)** *[fare, fee]* forfaitaire; *[charge, rate]* fixe
(e) *[beer]* éventé/-e **(f)** (GB) *[car battery]* à plat; *[battery]* usé/-e

1 In a dictionary or glossary, what shows whether the word is a noun, a verb, an adjective …?

2 Look up each word below and note its different meanings. Then choose the best meaning for its use in the leaflet on Dieppe (above).

a pêche **b** aire **c** boîte
d chouette **e** front **f** jeux

A Qu'est-ce qu'il y a dans une ville près de chez toi?
What is there in a town near where you live?
Exemple À Buxton, il y a un marché, des magasins, ….

B Fais dix phrases, vraies ou fausses, sur ta ville. Ton/Ta partenaire trouve les erreurs!
Exemple A: À Redhill, il y a une patinoire.
B: C'est faux! Il n'y a pas de patinoire.

C Prépare un dépliant touristique pour une ville près de chez toi.
Make a tourist information leaflet for a town near where you live.

Il y a une grande piscine chauffée …

6.2 C'est où, la plage?

- Ask for directions
- Understand and give directions

À vos marques

a Regarde et mémorise le plan de Dieppe pendant deux minutes.

b B couvre la légende. A pose cinq questions et B indique les destinations sur le plan.

Exemple A: Où est la piscine? B: Voilà. C'est le numéro quatre.
A: Oui, un point pour toi.

c Changez de rôles.

1 l'aire de jeux (f)
2 le mini-golf
3 le court de tennis
4 la piscine
5 le château (musée)
6 l'office de tourisme (m)
7 le cinéma
8 l'église (f)
9 la plage
10 le port
11 le centre culturel

Église St-Jacques
Église St-Rémy
DIEPPE
Vous êtes ici

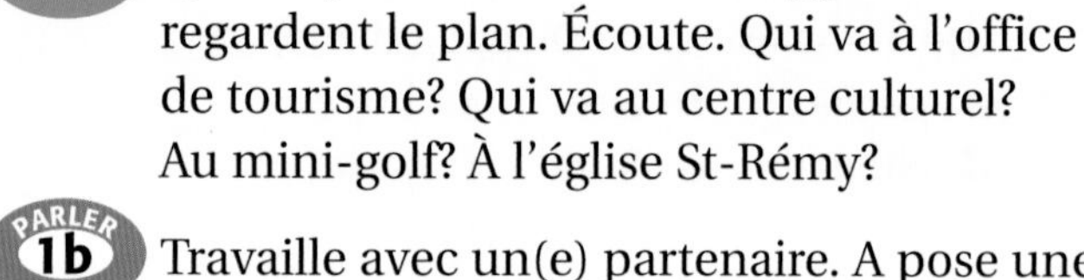

1a (ÉCOUTER) Quatre personnes sont à Dieppe et regardent le plan. Écoute. Qui va à l'office de tourisme? Qui va au centre culturel? Au mini-golf? À l'église St-Rémy?

1b (PARLER) Travaille avec un(e) partenaire. A pose une question sans regarder le plan. B donne les explications et A les note, puis regarde le plan pour vérifier.

Partner A asks a question without looking at the plan. B gives directions and A makes notes, before looking at the plan to check.

Exemple A: C'est où, la piscine?
B: Allez tout droit. La piscine est en face de la plage.

Expressions-clés

C'est où, le port, s'il vous plaît?

Tournez à gauche.

Tournez à droite.

Allez tout droit.

Prenez la première rue à droite.

C'est en face du/de la/de l'/des ...

Prenez la deuxième rue à gauche.

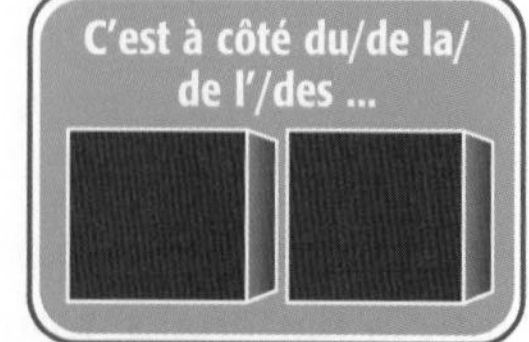

C'est à côté du/de la/de l'/des ...

Aux feux/Au carrefour, tournez à gauche.
C'est près du parc. C'est à gauche/à droite.

Mélanie: Excusez-moi, monsieur. C'est où, ***, s'il vous plaît?
Homme: ***? C'est assez loin. Prenez la deuxième rue à gauche, puis la première rue à droite. Allez tout droit pendant deux cents mètres. Au carrefour, tournez à droite. Puis, aux feux, tournez à gauche. Allez tout droit et *** est à gauche à côté du café et en face de la pharmacie. D'accord?
Mélanie: Euh, ben ... merci, monsieur.
Homme: Au revoir.
Mélanie: Oh là là! C'est compliqué à Dieppe. Je crois que je vais acheter un plan.

2a (ÉCOUTER / LIRE) Écoute et lis. Mélanie veut aller où?

2b (LIRE) Dessine le chemin pour Mélanie.
Draw Mélanie's route.

2c (ÉCRIRE / PARLER) Adapte la conversation.
Exemple A: Excusez-moi, madame. C'est où, la piscine, s'il vous plaît?
B: La piscine? Ce n'est pas loin. Prenez la troisième rue à droite. Au carrefour ...

Zoom grammaire: *imperative (revision)*

1 When do you use the imperative? Look back at page 25 (Unit 2) to check your answer.

2 Write the commands in two columns: **tu/vous.**

tourne prenez va allez prends tournez

3 Complete these speech bubbles with the correct imperative form.

C'est où, le mini-golf?
*** tout droit. Au carrefour *** à gauche et *** la première rue à droite.

C'est où, la plage, s'il vous plaît?
*** la quatrième rue à gauche. Aux feux, *** à droite et *** tout droit. La plage est à deux cents mètres.

➡ 143

Challenge!

A Recopie et complète les explications.

*Sortez de l'office de tourisme. Tournez *** gauche et *** la deuxième *** à droite. *** tout droit. L'église St-Jacques *** près du cinéma.*

B Commence au point "Vous êtes ici" sur le plan de Dieppe, choisis une destination en secret et écris des explications. Échange-les avec ton/ta partenaire. Il/Elle peut deviner la destination?

C Écris à ton correspondant/ta correspondante comment aller de chez toi au collège. Quels mots tu changes si tu écris à un adulte?

6.3 Visite à Paris

- Say what you are going to see and do during a visit to Paris
- Understand some information on the main tourist attractions in Paris
- Pronounce the *r* sound

À vos marques

Tu reconnais les photos de Paris? Relie les photos et les Mots-clés.

Exemple **a** Le Centre Pompidou.

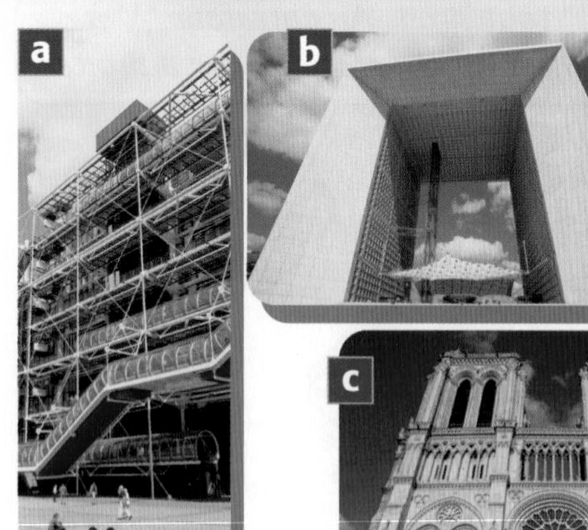

Mots-clés

le Centre Pompidou
le musée du Louvre

la cité des Sciences et de l'Industrie
la tour Eiffel
la cathédrale de Notre-Dame
la basilique du Sacré-Cœur
la place du Tertre, Montmartre

l'Arc de Triomphe
l'arche de la Défense

les bateaux-mouches

1a Écoute. C'est quelle photo?

1b Jeu de mémoire. Qu'est-ce que tu vas visiter à Paris?

Exemple A: Je vais visiter le Centre Pompidou.
B: Je vais visiter le Centre Pompidou et la tour Eiffel.
A: Je vais visiter le Centre Pompidou, la tour Eiffel et …

Paris

- Il y a plus de deux millions d'habitants à Paris.
- Il y a plus de dix millions d'habitants dans la région parisienne – environ 18% de la population française.
- Plus de 20 millions de touristes vont à Paris chaque année.
- Environ 5 millions de personnes prennent le métro à Paris tous les jours.

1 What else do you know about Paris?

Natacha parle avec Mélanie. Écoute et mets les lettres des images à droite dans le bon ordre.

Exemple b, …

Continue la lettre de Mélanie.

Chère maman,
Je vais passer le week-end à Paris! Le train part de Dieppe à 8 h 38 et arrive à Paris à 11 h 40.
Je vais visiter …

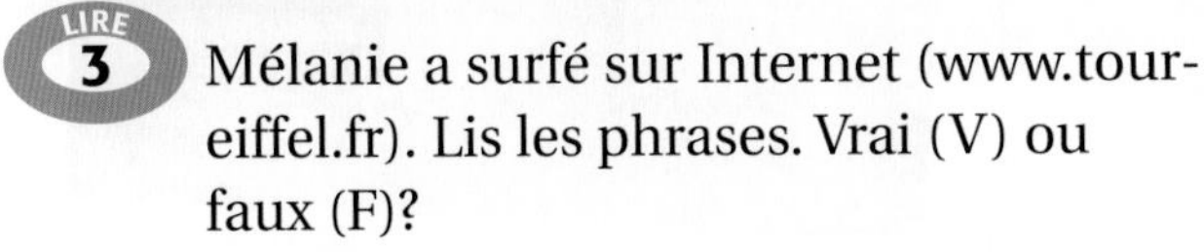

LIRE 3 Mélanie a surfé sur Internet (www.tour-eiffel.fr). Lis les phrases. Vrai (V) ou faux (F)?

- **a** On peut visiter la Tour Eiffel tous les jours.
- **b** Le 10 juillet, je peux monter en haut de la Tour à huit heures et demie.
- **c** Le 14 septembre, la Tour Eiffel ferme à vingt-trois heures.
- **d** En hiver, on peut monter par l'escalier jusqu'à vingt-trois heures.

Ça se dit comme ça!

The French "r" sound

1a Read and listen. One **r** is not highlighted and is pronounced differently. Why?

Bienvenue à Paris! C'est une ville romantique, historique, célèbre! On doit absolument visiter la Tour Eiffel, Notre Dame, le Sacré-Cœur, Montmartre, l'Arc de Triomphe, le musée du Louvre, le Centre Pompidou.

1b Listen again and read the text aloud.

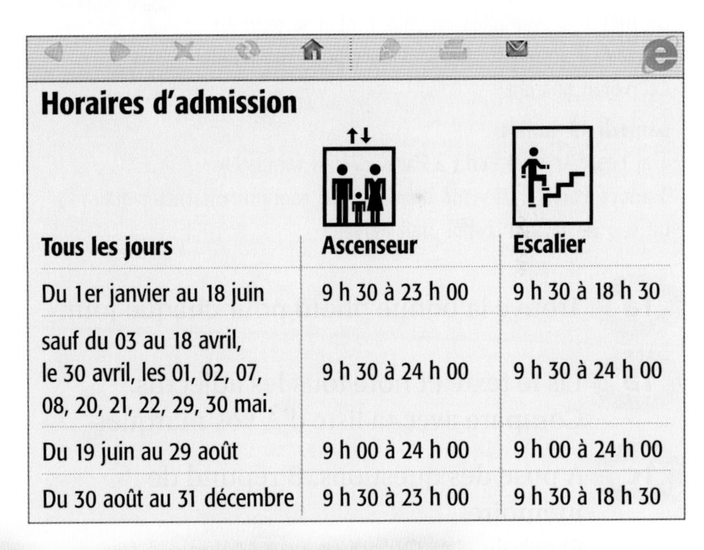

Horaires d'admission

Tous les jours	Ascenseur	Escalier
Du 1er janvier au 18 juin	9 h 30 à 23 h 00	9 h 30 à 18 h 30
sauf du 03 au 18 avril, le 30 avril, les 01, 02, 07, 08, 20, 21, 22, 29, 30 mai.	9 h 30 à 24 h 00	9 h 30 à 24 h 00
Du 19 juin au 29 août	9 h 00 à 24 h 00	9 h 00 à 24 h 00
Du 30 août au 31 décembre	9 h 30 à 23 h 00	9 h 30 à 18 h 30

Challenge!

A Tu vas à Paris. Qu'est-ce que tu vas faire? Écris six phrases.

Exemple Je vais regarder/aller/faire/acheter/visiter …

B Tu vas passer un week-end à Paris. Qu'est-ce que tu vas faire? Si possible, donne des raisons.

Exemple Le samedi matin, je vais visiter la Tour Eiffel parce que j'aime les monuments historiques. C'est intéressant. Puis, je vais …

C Qu'est-ce que Mélanie a fait à Paris? Décris sa visite.

Exemple Elle a pris le train à Dieppe et est arrivée à Paris à onze heures quarante.

6.4 C'était vraiment super!

- Write about a visit to France
- Say how it was
- Say what souvenirs/presents you bought
- Improve your written work

À vos marques

Fais une liste d'adjectifs en deux minutes! Compare avec ton/ta partenaire. Qui a la liste la plus longue?
Exemple intéressant, …

mercredi 15 juillet
Je suis allée à la plage avec Natacha et ses copains. Brrr, ce n'était pas mal, mais l'eau était froide! Après, on a mangé des crêpes dans un café, en ville. C'était marrant.

jeudi 16 juillet
Aujourd'hui, j'ai visité le château de Dieppe. C'était intéressant! Le soir, je suis allée au restaurant avec des copains. C'était délicieux!

vendredi 17 juillet
Ce matin, je suis allée en ville. C'était le jour du marché. J'ai acheté des souvenirs pour ma famille. Ce n'était pas cher.

samedi 18 juillet
J'ai passé le week-end à Paris. C'était fantastique. J'adore Paris! J'ai visité beaucoup de monuments historiques! La vue de la tour Eiffel était géniale!

a b c d

1a (LIRE) Trouve la bonne photo pour chaque jour.

1b (LIRE) Lis le texte et note tous les adjectifs. Compare avec ta liste d'À vos marques.

1c (PARLER) A pose des questions. B répond de mémoire!
Exemple A: Qu'est-ce que Mélanie a fait le 15 juillet?
B: Elle est allée …

2 (ÉCRIRE) Imagine les trois derniers jours de Mélanie à Dieppe. Continue son journal.

dimanche 19 juillet
J'ai visité le Sacré-Cœur. C'était super! J'ai acheté des cartes postales à Montmartre. Le soir, j'ai pris le train pour Dieppe.

lundi 20 juillet
Le matin, …

J'habite à Dieppe. C'est super!

J'ai visité Dieppe. C'était super!

1 Read the speech bubbles. What is the difference between **c'est** and **c'était**?

2 Copy and complete these phrases.
a Je suis allé au parc. *** amusant.
b J'aime le football. *** génial!
c Tu vas au musée? *** intéressant.
d Les enfants ont visité la Tour Eiffel. *** fantastique!
e Mon père a détesté le film. *** nul!
f J'ai mangé une glace au chocolat. *** délicieux.

➡ 143

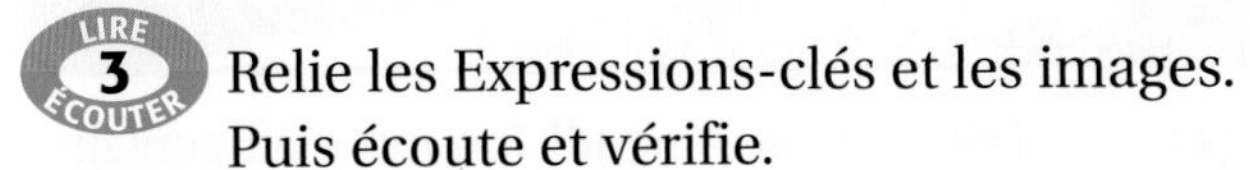

LIRE / ÉCOUTER 3 Relie les Expressions-clés et les images. Puis écoute et vérifie.

ÉCOUTER 4 Écoute. Quels souvenirs est-ce que Mélanie a acheté et pour qui?

Exemple mère – parfum …

PARLER 5 Imagine. Tu rentres de vacances en France. Qu'est-ce que tu as acheté?

Exemple Pour mon frère, j'ai acheté un tee-shirt.

ÉCRIRE 6 Écris une lettre à ton correspondant français/ta correspondante française pour décrire tes dernières vacances. Voir Guide pratique.

Write a letter describing your last holidays.

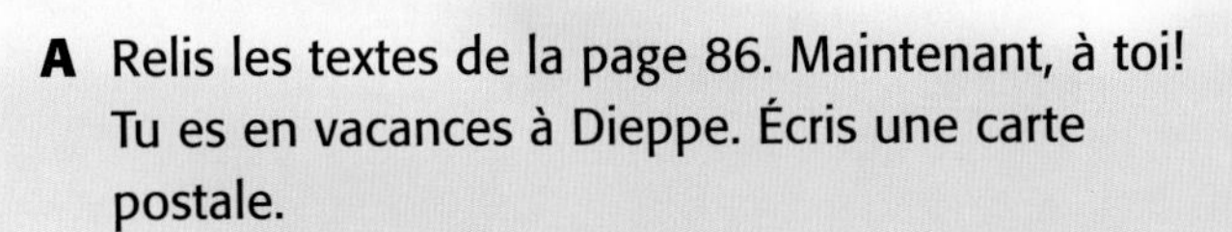

Challenge!

A Relis les textes de la page 86. Maintenant, à toi! Tu es en vacances à Dieppe. Écris une carte postale.

B Décris les vacances de Mélanie.

Exemple Elle est arrivée à Dieppe le 14 juillet. …

C Regarde l'affiche à droite. Écris un texte de 100 mots environ.

Exemple En août, je suis allé en Inde avec ma mère, mon beau-père et mon frère. On est partis …

Expressions-clés

Pour ma mère/mon père, j'ai acheté …
Pour ta mère/ton père, tu as acheté …
Pour sa mère/son père, il a acheté …
Pour sa mère/son père, elle a acheté …
un crayon/un foulard/un porte-clés/un poster/un tee-shirt
une cravate/une poupée/une tasse
du parfum
des bonbons/des cartes postales

Guide pratique

Improving your writing

- Plan longer pieces of writing very carefully!

1 Adapt and expand this mind map with your ideas.

mes vacances à Paris
Activités – Tour Eiffel (visiter), cinéma, marché, …
Lettre – Cher Matthieu/Chère Natacha; Et toi?; Écris-moi vite; Amitiés, …
Manger – crêpes, … Boire
Opinions – c'était super, marrant, …
Souvenirs – porte-clés, poster …

2 Write your letter in rough. Then check:
- Accents correct?
- Verbs and adjectives agree?
- Tenses correct?
- Spelling correct? (Check in dictionary!)

3 Ask a partner/your teacher to advise how to improve your letter further. Then write up a neat version!

Gagne des vacances de rêve!
D'abord, décris tes dernières vacances. Ensuite, décris aussi ce que tu vas faire pendant les prochaines vacances!

6.5 La belle équipe

Épisode 6

1

Natacha: Ouah! Les nouvelles stars, c'est nous!
Juliette: Génial, non! Quand je pense qu'on part aux Antilles!!! Arnaud … tu vas où?
Arnaud: Je dois parler aux juges.

2

Juge: Félicitations, Arnaud! Ton rap était genial!
Arnaud: Merci, madame, mais il y a un problème. Ce n'est pas mon rap. Le vrai chanteur des Pieds-Nus, c'est mon copain Matthieu, là-bas.
Juge: Je ne comprends pas.
Arnaud: Il était très malade après la première audition, alors j'ai fait son rap. C'est Matthieu qui doit partir aux Antilles, pas moi.

3

Matthieu: Félicitations! Et bon voyage aux Antilles! Achetez-moi un souvenir, hein? Un tee-shirt, un poster, une carte postale!
Natacha: Matthieu…
Juliette: On est vraiment désolées pour toi.

… Pas Arnaud … Matthieu … première audition … très malade … un rap génial … que faire?

4

Juge: Nous avons bien considéré la proposition d'Arnaud …
Natacha: Quoi? Qu'est-ce qui se passe?
Juge: … et nous avons une solution. Le premier prix va aux Pieds-Nus, y compris Matthieu. Un groupe de quatre, c'est idéal pour la tournée aux Antilles.

Juliette: On part tous les quatre, avec Matthieu, mais c'est le top!!!!
Natacha: Arnaud! Tu es génial!
Arnaud: Mais, non, c'est normal! Matthieu, c'est mon meilleur pote!

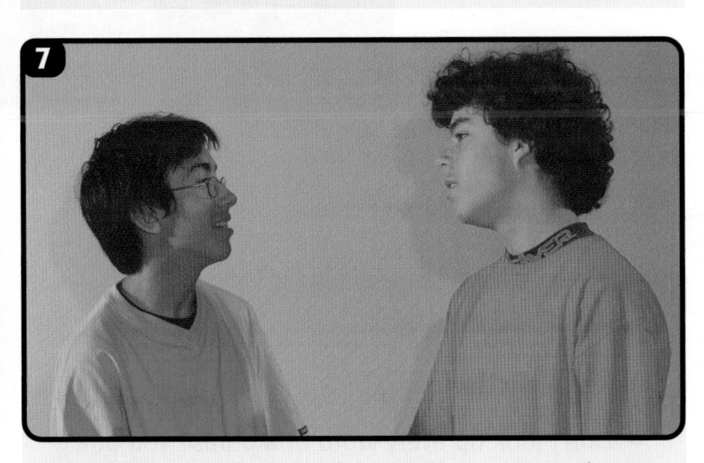

Matthieu: Merci, Arnaud. C'est super sympa de ta part. Et tu as vraiment impressionné Natacha!
Arnaud: Ah bon? Tu crois?
Matthieu: Ah oui oui oui! Elle t'adore, c'est clair!

Natacha: On va fêter ça? Je vous invite à la crêperie!
Arnaud: Bonne idée! La crêperie près de la bibliothèque, au coin de la rue Lafayette, est super sympa.
Juliette: Bon, on y va! Tu n'es pas trop fatigué, Matthieu?
Matthieu: Non, j'ai plein d'énergie maintenant, avec toi … merci, Juliette.

Fin

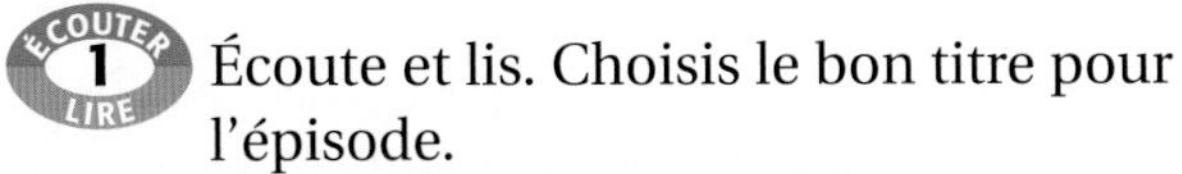

Écoute et lis. Choisis le bon titre pour l'épisode.

a Problème avec le juge!
b Tout est bien qui finit bien!
c Les Pieds-Nus sont allés aux Antilles!

Trouve:

a Where are you going?
b Buy me a souvenir.
c I don't understand
d including
e he's my best mate
f I've got lots of energy now

Qui …?

a … parle aux juges?
b … a écrit le rap?
c … va aux Antilles?
d … aime Arnaud?
e … aime Juliette?

À cinq, jouez l'épisode.

Super-challenge!

Mon échange à Strasbourg

1 J'ai fait un échange avec Pierre Bleikasten. Il a quinze ans et il aime le vélo, le football, le cinéma et la musique. Il habite avec ses parents, sa grand-mère et sa sœur à Strasbourg, dans l'est de la France. La famille était vraiment sympa et j'ai passé deux semaines chez eux.

2 Je suis parti le 2 juillet et j'ai pris le train et le bateau. J'ai fait bon voyage, mais c'était fatigant. Pendant le voyage, j'ai lu et j'ai écouté mon baladeur.

3 J'ai bien aimé les repas chez les Bleikasten. Mon dessert préféré, c'était la tarte aux pommes. Délicieux! Mais les repas sont longs en France!

4 J'ai fait du shopping et j'ai acheté des souvenirs pour toute ma famille – une poupée traditionnelle pour ma sœur et un porte-clés pour mon frère. Pour mes parents, j'ai choisi des chocolats et j'ai aussi acheté un tee-shirt … pour moi! Strasbourg, c'est une ville super dynamique!

5 Dans l'ensemble, l'échange était super, surtout parce que je me suis bien entendu avec mon correspondant. J'ai beaucoup parlé français – c'était génial!

6 L'année prochaine, je vais faire un échange avec mon correspondant espagnol. Ça va être amusant parce que nous allons visiter Madrid, la capitale de l'Espagne, mais aussi parce que nous allons passer une semaine chez sa grand-mère qui habite sur la côte.

Danny

LIRE 1 Lis le rapport de Danny. Trouve un titre pour chaque paragraphe.

a Les repas
b Le futur
c Pierre et sa famille
d Conclusion
e Les activités
f Le voyage

LIRE 2 Fais une liste de phrases au présent, au passé et au futur. Compare avec un(e) partenaire.

Exemple présent – il a quinze ans

ÉCRIRE 3a Prépare un rapport comme celui de Danny. Note des expressions utiles.

Plan a report like Danny's. Note down useful phrases.

Exemple

échange
- j'ai fait un échange
- j'ai passé X semaines chez eux
- pendant le voyage

ÉCRIRE 3b Invente un rapport: "Mon échange à Paris".

Guide pratique

Using a dictionary ③

- Don't look up every word of a phrase you don't understand. Pick out one word which should help you guess the rest.
  Example j'ai passé deux semaines chez eux

"Chez moi" means "at my house" … "chez eux"? "Deux semaines" is "two weeks". Let's check the verb "passer". It looks like English, but "I passed two weeks" doesn't make sense! Ah, "passer" means different things in different contexts …, "to spend (time)", so "I spent two weeks" and the rest must be "at their house". Simple really …

1 Choose a phrase in Danny's report that's puzzling you. Look up just one word. Tell your partner how that has helped you understand the phrase.

2 Summarize one paragraph of Danny's report in English. See how few words you need to look up.

6 Vocabulaire

En ville	***Around town***
un château	*a castle*
un hôpital	*a hospital*
un marché	*a market*
un musée	*a museum*
un office de tourisme	*a tourist office*
un supermarché	*a supermarket*
un zoo	*a zoo*
une banque	*a bank*
une boulangerie	*a baker's*
une église	*a church*
une mairie	*a town hall*
une pharmacie	*a chemist*
une plage	*a beach*
une poste	*a post office*

Les souvenirs	***Souvenirs***
Pour ma mère/mon père, j'ai acheté …	*For my mother/my father, I bought …*
des bonbons	*some sweets*
des cartes postales	*some postcards*
du parfum	*some perfume*
un crayon	*a pencil*
un foulard	*a scarf*
un porte-clés	*a key-ring*
un poster	*a poster*
un tee-shirt	*a T-shirt*
une cravate	*a tie*
une poupée	*a doll*
une tasse	*a mug*

C'est où?	***Where is it?***
Est-ce qu'il y a [une pharmacie] près d'ici?	*Is there [a chemist] near here?*
Oui, il y a [une pharmacie].	*Yes, there's [a chemist].*
Non, il n'y a pas de [pharmacie].	*No, there isn't [a chemist].*
C'est loin?	*Is it far?*
Non, c'est près du parc/de la poste/de l'hôpital.	*No, it's near the park/the post office/the hospital.*
Oui, c'est à deux kilomètres.	*Yes, it's two kilometres away.*
C'est où, le port?	*Where is the port?*
Tourne(z) à gauche/droite.	*Turn left/right.*
Va/Allez tout droit.	*Go straight ahead.*
Prends/Prenez la première/deuxième/troisième rue à droite.	*Take the first/second/third road on the right.*
C'est en face du/de la/de l'/des …	*It's opposite the …*
C'est à côté du/de la/de l'/des …	*It's next to the …*
C'est près du/de la/de l'/des …	*It's near the …*
Aux feux/Au carrefour, allez tout droit.	*At the traffic lights/the crossroads, go straight ahead.*

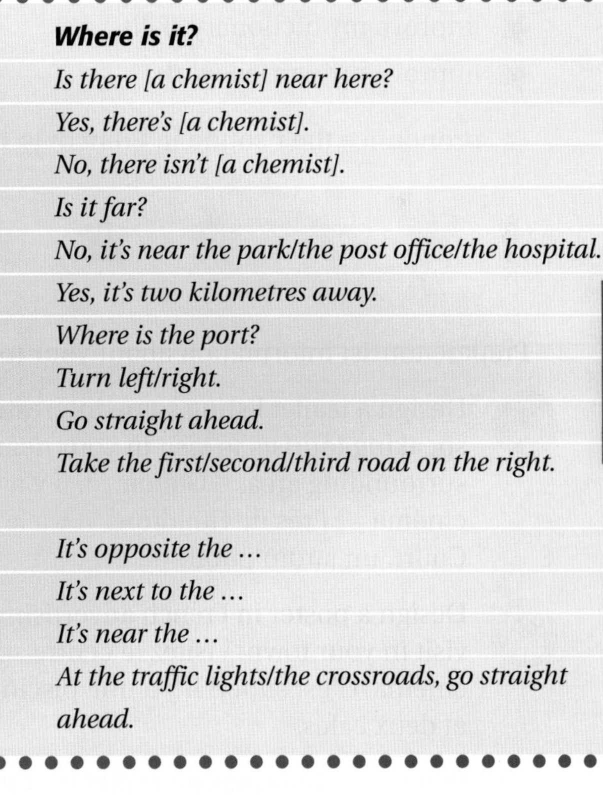

6 Podium

I know how to:

- find out what's available in town: Est-ce qu'il y a une pharmacie près d'ici? C'est loin?
- say what's available in town: Oui, il y a une pharmacie. C'est près du parc.
- ask for directions: C'est où, la poste, s'il vous plaît?
- understand and give directions: Tournez à gauche. Au carrefour, prenez la troisième rue à droite. La poste est en face du parc.
- say what I am going to see and do during a visit to Paris: Je vais visiter le Centre Pompidou.
- write about a visit to France: J'ai visité la Tour Eiffel. J'ai pris le train.
- say how it was: C'était super!
- say what souvenirs/presents I bought: Pour mon père, j'ai acheté une cravate.

- use the imperative: Prenez la première rue à gauche.
- understand the difference between **c'est** and **c'était**

- understand a publicity brochure
- understand some information on the main tourist attractions in Paris
- improve my dictionary skills
- improve my written work

- pronounce the **r** sound in French: la Tour Eiffel, Notre-Dame, le Sacré-Cœur

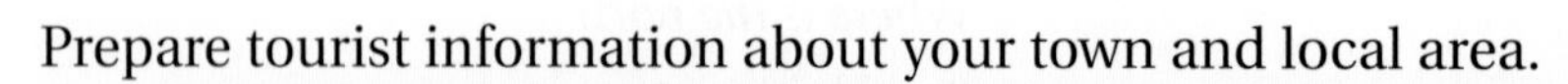

Prepare tourist information about your town and local area.

Design a leaflet listing some interesting places for French-speaking tourists to visit in your nearest town and in the surrounding area. À Guildford, il y a un petit château, un grand cinéma … Près de Guildford, il y a le château de Hampton Court, un jardin public à Kew …

Design a poster in French advertising some interesting places to visit in your town. Visitez le centre sportif. C'est à côté du cinéma. C'est super! Il y a une piscine, une patinoire, un bowling et deux cafés.

Prepare an information leaflet for French-speaking tourists visiting your nearest town and area. You could include a map, a paragraph on each attraction in the area with prices and directions, information about shops and transport, etc.

5-6 Révisions

Regarde d'abord les pages 65–92.

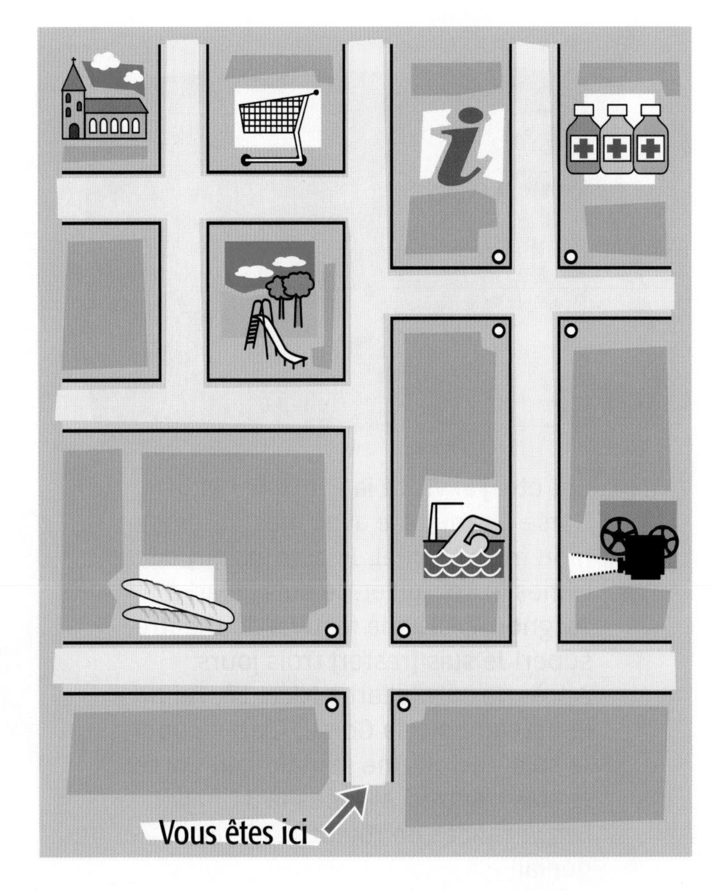

Écoute et regarde le plan. C'est quelle destination?

A donne les explications et B devine la destination.
A gives directions and B guesses the destination.

Exemple

A: Prenez la première rue à droite et puis la première rue à gauche. C'est à gauche.

B: C'est la piscine.

Ils vont où? Écris les explications.
Where are they going? Write directions.

Exemple **1** Pour le cinéma, allez …

1. Je vais voir un film d'aventure.
2. Oh là là! J'ai mal à la tête. Je vais acheter des antidouleur.
3. Je vais faire de la natation. C'est mon sport préféré!
4. J'ai faim. Je vais acheter du pain et des croissants.
5. On va jouer au foot avec des copains.
6. Je suis touriste à Dieppe.

Lis les notes et écoute l'interview de Nicole. Corrige les quatre erreurs.
Read the notes and listen to the interview with Nicole. Correct the four errors.

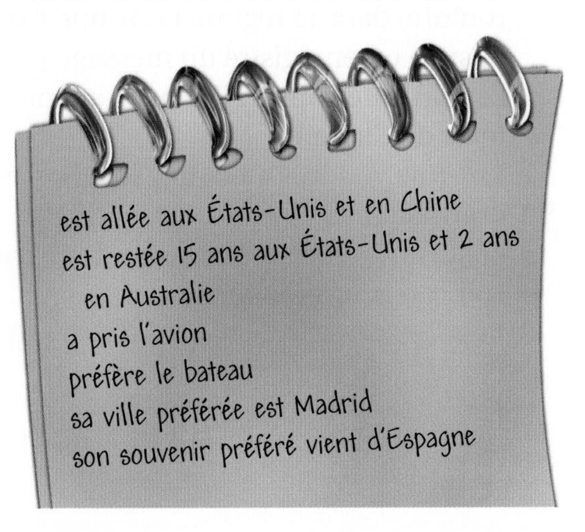

est allée aux États-Unis et en Chine
est restée 15 ans aux États-Unis et 2 ans en Australie
a pris l'avion
préfère le bateau
sa ville préférée est Madrid
son souvenir préféré vient d'Espagne

Réécoute. Recopie et complète le texte avec les mots dans la boîte.
Listen again. Copy the text and complete it with the words in the box.

Nicole adore voyager: elle est *** aux États-Unis et en Australie. Elle est *** un *** aux États-Unis et *** ans en Australie. C'était ***! Elle aime bien ***, mais son moyen de *** préféré, c'est l'avion parce que c'est plus *** . Elle adore *** parce que c'est une *** romantique! Elle a *** une *** espagnole à Madrid et c'est son souvenir préféré.

an **Paris** **restée** **poupée** **super**
acheté **le bateau** **allée** **transport**
ville **deux** **rapide**

Vacances en roulotte

Voici le journal de Claire Tondini. Recopie et complète.

Exemple Je suis (partir) *partie* de Nîmes …

Cet été, j'ai visité la Provence et la Corse en roulotte avec mes parents et mon frère Martial. Je suis [partir] de Nîmes le 1er juillet. Je suis [aller] à Avignon. C'était le festival de théâtre, super! Je suis [rester] trois jours. Après, je suis [aller] à Nice. Là, j'ai pris le bateau pour la Corse. C'était super! Je suis [rester] une semaine en Corse. Je suis [rentrer] à Nîmes le 31 juillet. Les vacances en roulotte, c'était génial!

Écoute. Recopie la grille et complète pour la famille Tondini.

	Souvenir	Pour qui?
Claire	bonbons	prof de français
Martial		
M. Tondini		
Mme Tondini		

3c ÉCRIRE PARLER

Imagine! Tu as passé des vacances en roulotte dans ta région. Écris une carte postale ou enregistre un message pour un copain/une copine. (Tu peux adapter le texte de Claire!)

Imagine you had a holiday in a horse-drawn caravan in your area. Write a postcard or record a message for a friend. You can adapt Claire's text.

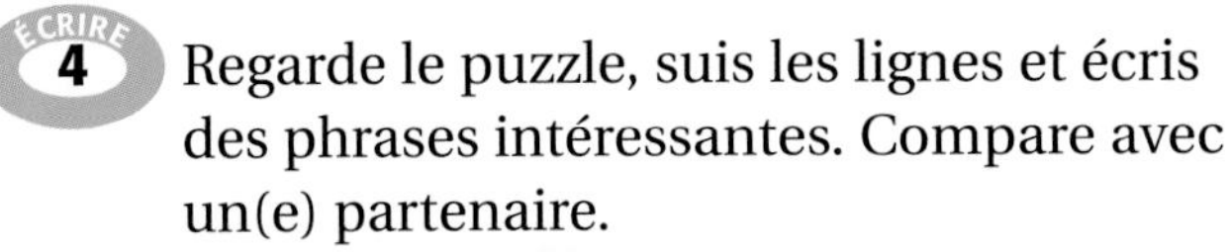

ÉCRIRE 4 Regarde le puzzle, suis les lignes et écris des phrases intéressantes. Compare avec un(e) partenaire.
Follow the lines in the puzzle and write interesting sentences. Compare them with a partner.

Exemple Sophie va au collège à vélo tous les jours parce que c'est pratique.
Conrad est allé en France en Eurostar. C'est rapide et pas cher.

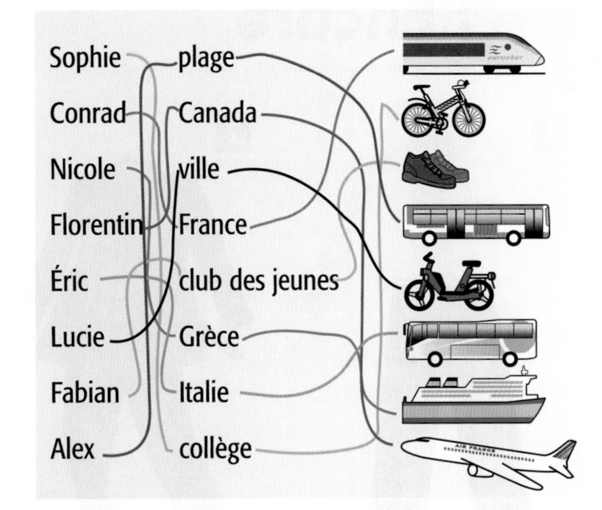

Interview avec Théo

LIRE 5a Relie les questions aux réponses.
Exemple **1** d

1. Tu es allé où en vacances?
2. Tu as voyagé comment?
3. Tu es resté combien de temps?
4. L'hôtel était bien situé?
5. Qu'est-ce que tu as fait?
6. Tu as acheté des souvenirs?
7. L'année prochaine, tu aimerais aller où?

a **J'aimerais aller** en Australie, mais c'est cher. En plus, quand je suis en vacances au mois d'août, c'est l'hiver en Australie. Ce n'est pas pratique!

b Oui, **j'ai acheté** beaucoup de souvenirs ... un tee-shirt pour mon frère, du chocolat pour mon père, un livre pour ma mère et des posters pour ma chambre en France.

c Oui, **c'était** super! Je suis sorti de l'hôtel, j'ai pris la première rue à gauche et j'ai vu un grand lac avec une plage. À cinq cents mètres de l'hôtel, il y a une petite gare où j'ai pris le train touristique qui va dans la montagne. C'était très pratique!

d **Je suis allé** en Suisse. J'adore les vacances à la montagne!

e **Je suis resté** deux semaines dans un hôtel en ville. C'était fantastique!

f **J'ai pris** le train de Paris le deux août à vingt-deux heures trente et je suis arrivé à Interlaken le trois août à six heures! J'adore voyager en train, parce que c'est assez rapide.

g **J'ai** nagé dans le lac (froid!) tous les matins, j'ai fait des promenades en montagne (fatigant!) tous les jours et, le soir, **je suis** allé en ville pour acheter des souvenirs, aller au concert, manger au restaurant, etc.

LIRE 5b Choisis six images qui illustrent les vacances de Théo.

PARLER 5c Interviewe ton/ta partenaire à propos de ses vacances (vraies ou imaginaires). Attention: Les phrases en bleu sont les réponses de base. Donne plus de détails et fais des phrases plus intéressantes.
Interview your partner about a real or imagined holiday. Add as much detail as you can to the answers in blue in a–g to create an interesting interview.

1 Encore

1 PANTALON = 4 TENUES

a un pantalon noir + une chemise bleue + une veste noire + des sandales noires = une tenue "rock"

b un pantalon noir + une chemise jaune + des sandales noires = une tenue "été"

c un pantalon noir + un blouson blanc + des sandales noires = une tenue "ville"

d un pantalon noir + un cardigan rose + des chaussures blanches = une tenue "charme"

LIRE 1 Lis les étiquettes et relie aux photos.
Read the labels and match each one to an outfit.

ÉCOUTER 2 Écoute. La tenue préférée de Laura, c'est quoi? Et la tenue préférée d'Aurélie?
Listen. Which outfit does Laura prefer? And which is Aurélie's favourite?

PARLER 3 Décris une tenue. Ton/Ta partenaire devine.
Describe one of the outfits. Your partner guesses which one.

Exemple A: Des sandales noires, un pantalon noir, une chemise bleue et …
B: C'est la tenue 2.

ÉCRIRE 4a Recopie et complète la conversation avec la bonne forme du verbe "avoir".
Copy out the cats' conversation, filling in the blanks with the right form of the present tense of *avoir* (see page 8).

PARLER 4b À deux, lisez la conversation.
Read the conversation aloud with a partner.

Avoir ou ne pas avoir!

- Moi, j'*** des Adichats!
- Quoi? Tu *** des Adichats? Eh! Il *** des Adichats!
- Ah ah ah! On n'*** pas d'Adichats! Nous, nous *** des Chatbok.
- Ah, vous *** des Chatbok?
- Oh là là, ils *** des Chatbok! Nul!

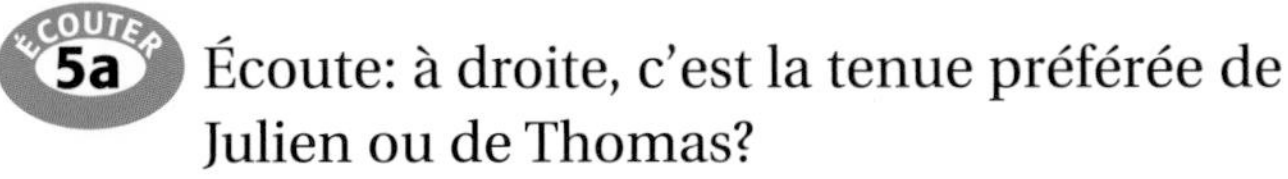

5a (ÉCOUTER) Écoute: à droite, c'est la tenue préférée de Julien ou de Thomas?
Listen and say whether the clothes (right) are Julien's or Thomas's favourite outfit.

5b (ÉCOUTER / ÉCRIRE) Réécoute. Recopie et complète la bulle pour Julien et pour Thomas.
Listen again. Copy out and finish the speech bubble, once for Julien and once for Thomas.

Quand je vais au collège, ma tenue préférée, c'est …

6a (LIRE) Laura parle de quelle photo?
Which photo is Laura describing?

Laura: Je n'aime pas beaucoup le look parce que ce n'est pas confortable et ce n'est pas pratique. J'aime bien le tee-shirt parce qu'il est chic, mais je n'aime pas beaucoup les chaussettes et je déteste les sandales parce qu'elles ne sont pas confortables.

6b (ÉCRIRE) Qu'est-ce que tu penses des tenues sur les photos?
What do you think about the outfits pictured?

2 Encore

1
Oh non!! J'ai mal à ***!
***
2
Et j'ai mal au ***
3
Tu as chaud. Tu as de ***?
4
Oui et j'ai très ***!

5
Oh! Et j'ai ***!
6
Aaaaah!
Alors, salu

1 Relie et écris sept parties du corps.
Match the two halves of the names of seven parts of the body and write them down.

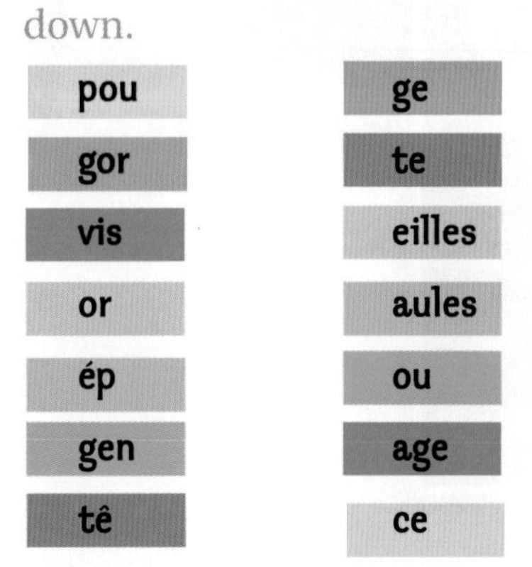

pou	ge
gor	te
vis	eilles
or	aules
ép	ou
gen	age
tê	ce

2a Lis les bulles et trouve les mots qui manquent dans la boîte.
Read the bubbles and find the missing words in the box.

envie de vomir | la fièvre | ça ne va pas? | soif | ventre | la tête

2b Écoute et vérifie.
Listen and check.

2c Joue la conversation avec un(e) partenaire.
Act out the conversation with a partner.

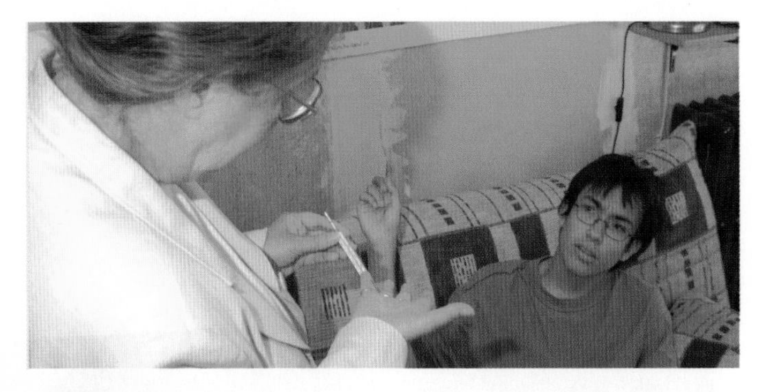

Matthieu: Bonsoir, docteur.
Médecin: Bonsoir, Matthieu. Qu'est-ce qui ne va pas?
Matthieu: J'ai ⓐ .
Médecin: Tu as ⓑ ?
Matthieu: Oui, un peu.
Médecin: Hum, ⓒ et ⓓ .

3a (ÉCOUTER/ÉCRIRE) Écoute les trois conversations chez le médecin. Note les symptômes et les conseils.
Listen to the three conversations at the doctor's. Note the symptoms and the advice.

Exemple **1** Matthieu: ⓐ très mal au ventre, etc.

SYMPTÔMES

J'ai mal à la tête/au ventre/aux dents.

J'ai chaud/froid/faim/soif.

J'ai envie de vomir/de la fièvre.

J'ai un rhume/le rhume des foins/la grippe.

Je tousse.

CONSEILS

Bois de l'eau.

Ne bois pas.

Mange des fruits et des légumes.

Ne mange pas.

Va au lit.

Prends un antidouleur.

Va aux urgences.

3b (PARLER) À deux, inventez des conversations chez le médecin (comme celle de Matthieu). Choisissez des symptômes et des conseils dans la liste.
In pairs invent conversations at the doctor's, adapting Matthieu's and using the symptoms and advice listed.

4a (LIRE) Lis les mots 1–4 de parents pour l'école. Réponds aux questions en anglais.
Read the sick notes parents have written to school. Answer the questions in English.

- **a** What's wrong with number 4?
- **b** Who should number 3 see?
- **c** Who should have lots of hot drinks?
- **d** What advice would you give number 2?

4b (ÉCRIRE) Écris le mot pour Matthieu.
Write a sick note for Matthieu.

4c (ÉCRIRE) Invente un mot pour toi!
Write a sick note for yourself!

1
Ma fille ne va pas à l'école aujourd'hui parce qu'elle a un rhume et elle tousse.

2
Mon fils ne va pas à l'école aujourd'hui parce qu'il a mangé trop de chocolat: il a mal au ventre et il a envie de vomir.

3
Mon fils ne va pas à l'école aujourd'hui parce qu'il a très mal aux dents et il a mal à la tête.

4
Ma fille ne va pas à l'école aujourd'hui parce qu'elle a la grippe; elle a mal à la tête et elle a de la fièvre.

3 Encore

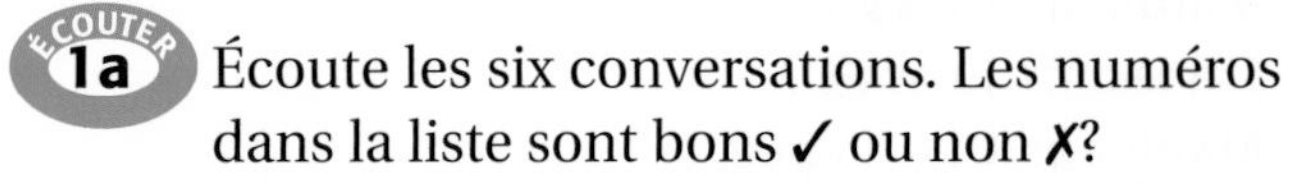

1a ÉCOUTER Écoute les six conversations. Les numéros dans la liste sont bons ✓ ou non ✗?
Listen to the six conversations. Are the telephone numbers listed below correct or not?

1b ÉCOUTER Réécoute. Recopie et corrige les numéros qui sont faux.
Listen again. Copy and correct the wrong numbers.

Le Grand Café Capucines	01 43 12 19 00
Pariscope	01 41 34 73 47
Tour Eiffel	01 44 11 23 23
Musée Claude-Monet	02 32 51 28 21
Parc floral	04 72 45 69 18
Club des jeunes	03 80 08 67 25

1c PARLER A choisit un dessin et demande le numéro. B donne le numéro.
A chooses a picture and asks for the number. B gives the number.

Exemple A: C'est quoi, le numéro de téléphone de la tour Eiffel?
B: C'est le …

2a ÉCRIRE Qu'est-ce que tu vas faire le week-end prochain? Écris une liste de dix activités.
Write a list of ten activities that you are going to do next weekend.

Exemple Le week-end prochain, je vais … aller à la plage.

2b PARLER Compare avec un(e) partenaire. Puis comparez avec la classe. Qui gagne?
Compare your list of activities with your partner's. Score 1 point for each activity you have both listed, and 2 points each for the others. Now compare with the rest of the class. Which pair has the highest score?

3 Écris les conversations.

Write conversations following the picture prompts on the right.

Exemple **a** Tu veux regarder un documentaire ce soir?
Non, je dois faire mes devoirs.

4a Lis les bulles. Relie les images à la bonne personne.

Read these four plans for the weekend. Match the pictures to the correct people.

Exemple Bastien: b, …

Ce week-end, je vais faire beaucoup de sport. Je vais passer cinq heures au centre sportif. Je vais faire de la natation, du tennis et de l'athlétisme. C'est marrant, mais fatigant!

Janila

Ce week-end, je vais regarder la télé! J'aime les émissions sportives. Il y a beaucoup de matchs de football à la télé ce week-end. C'est génial!

Bastien

Samedi soir, je vais voir un western au cinéma avec Laetitia. Le film commence à dix-sept heures trente. Après le film, nous allons manger une glace au café.

Noémie

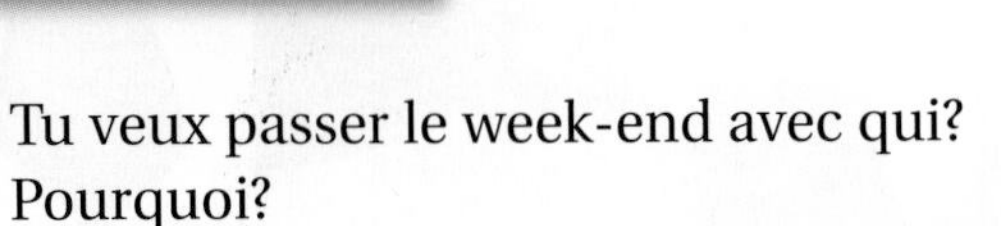

4b Tu veux passer le week-end avec qui? Pourquoi?

Who would you like to spend the weekend with and why?

Exemple Je veux passer le week-end avec Bastien parce que j'adore le football et j'aime regarder la télévision!

Samedi, je veux aller à la plage, mais je dois garder mes deux frères. C'est nul! Dimanche, je veux faire du skate en ville, mais je dois faire mes devoirs. C'est débile!

David

4 Encore

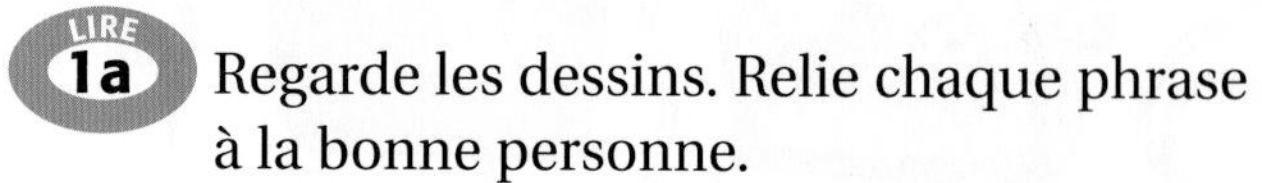

1a *LIRE* Regarde les dessins. Relie chaque phrase à la bonne personne.
Look at the pictures. Match each sentence to the right person.
Exemple **a** Anne
a Je joue de la batterie.
b Je joue du piano.
c Je joue du clavier.
d Je joue de la guitare.
e Je joue du violon.
f Je joue de la flûte.

1b *LIRE* Regarde le programme du club de musique. Qui joue ...?
a une fois par semaine
b deux fois par semaine (3 personnes)
c trois fois par semaine
d tous les jours

1c *ÉCRIRE* Écris une phrase pour chaque jeune.
Exemple Anne joue de la batterie trois fois par semaine.

1d *PARLER* Test de mémoire à deux: A lit une phrase, B dit vrai ou faux sans regarder sa liste.
Test your memory with a partner. A reads a sentence from his/her list in activity 1c, B says if it is true or false, without looking at their sentences or book.

2a *ÉCOUTER* Regarde les photos-mystère. Écoute. C'est quelle photo?
Look at the mystery photos on the right. Listen. Which photo is it?
Exemple **1 e**

2b *PARLER* Joue au morpion avec un(e) partenaire.
Play noughts and crosses with a partner. Say a sentence to place your counter on a picture (right). The winner is the first to get three counters in a row.
Exemple **a** je me réveille

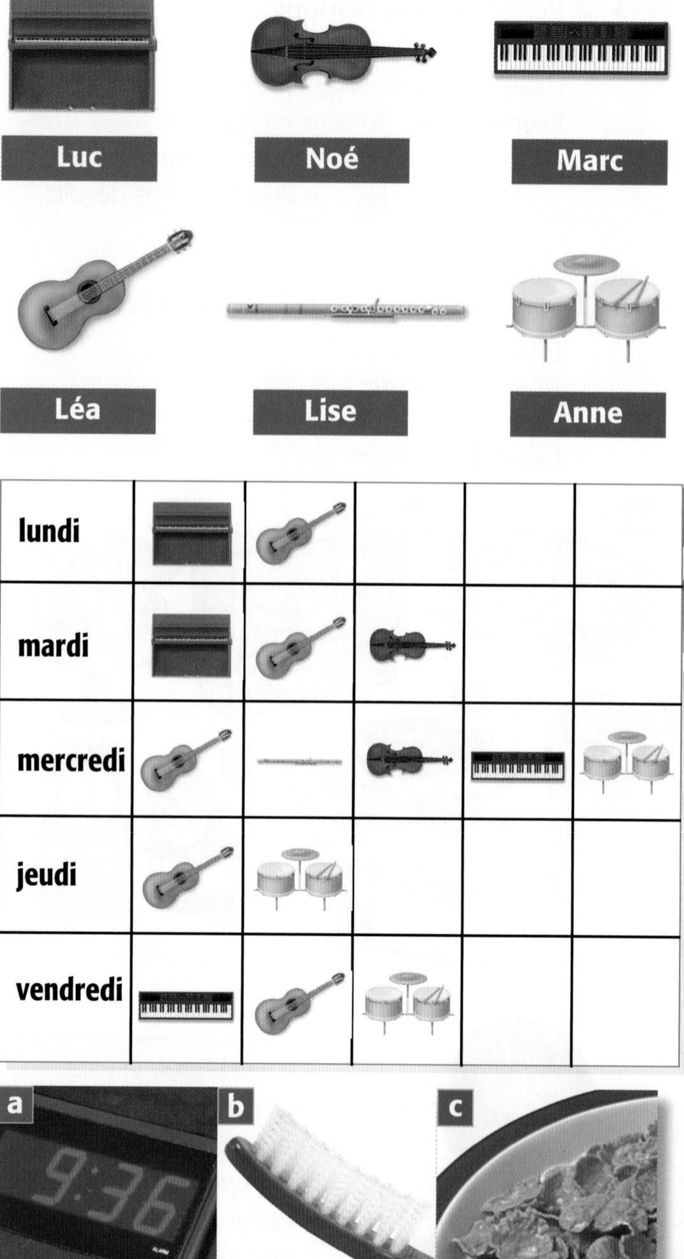

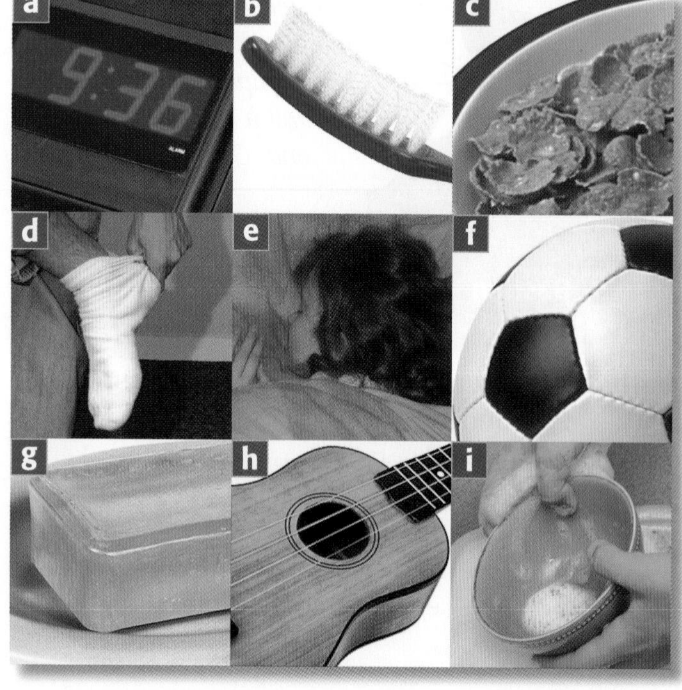

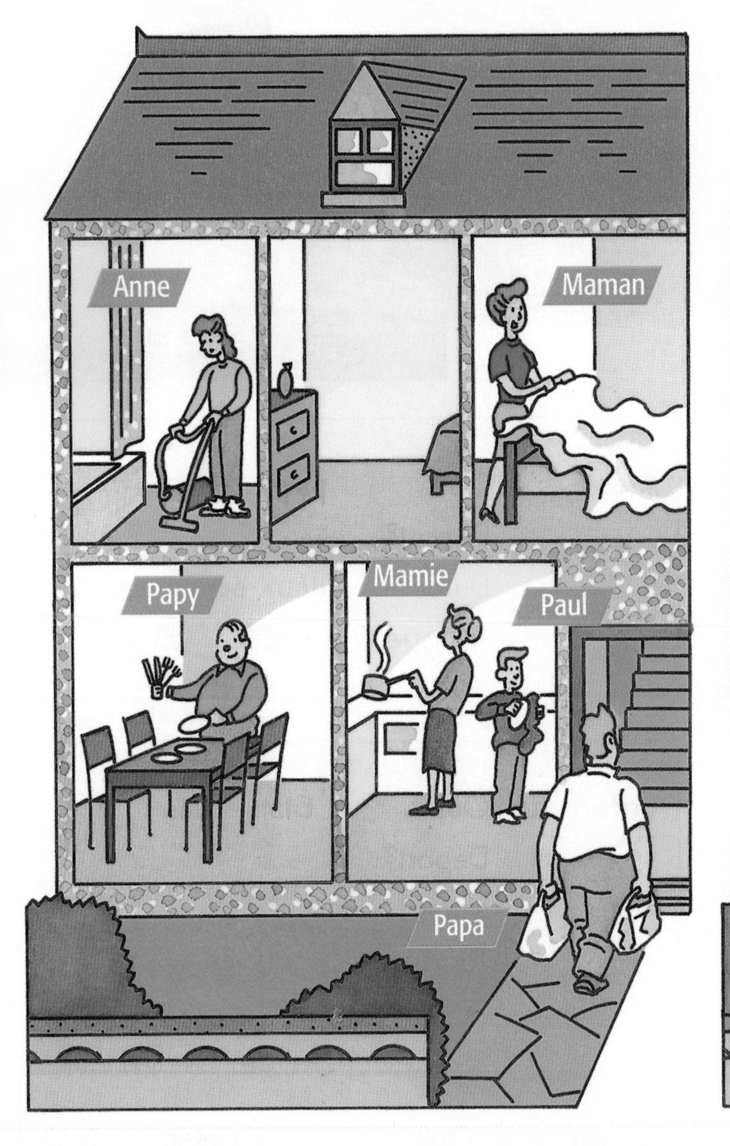

ÉCOUTER **3a** Écoute. C'est samedi ou dimanche?

Listen and say if it's Saturday or Sunday.

PARLER **3b** À tour de rôle, dis ce que tu as fait. Ton/Ta partenaire dit qui tu es.

Choose a role and say what you did. Your partner says which role you have chosen.

Exemple A: Dimanche, j'ai fait le ménage.
B: Maman?
A: Oui.

ÉCRIRE **3c** Choisis un jour: samedi ou dimanche. Écris qui a fait quoi.

Choose a day: Saturday or Sunday. Write who did what.

Exemple Dimanche, maman a fait le ménage dans la salle à manger. Anne a …

5 Encore

Alex		
	Où?	pays de Galles
	Départ?	
	Durée?	deux semaines
	Transport?	

Valentine		
	Où?	États-Unis
	Départ?	
	Durée?	
	Transport?	

Julien		
	Où?	Écosse
	Départ?	
	Durée?	un mois
	Transport?	

Elsa		
	Où?	Londres
	Départ?	
	Durée?	
	Transport?	

ÉCOUTER 1a Écoute et relie.
Listen and match each form to the correct recording (1–4).

ÉCRIRE 1b Réécoute. Recopie et complète les fiches.
Listen again. Copy and complete the forms.

PARLER 1c Dis une phrase. Ton/Ta partenaire devine qui tu es.
Say a sentence. Your partner guesses who you are.

Exemple A: Je suis allée à Londres.
B: Tu es Elsa!
A: Je suis partie le 15 août.
B: Tu es Valentine!

ÉCRIRE 2 Invente des vacances. Remplis une fiche et écris une carte postale.
Invent a holiday. Fill in a form and write a postcard.

Exemple Je suis allé(e) … Je suis parti(e) …

LIRE **3a** Lis les quatre lettres. De qui sont les dessins?
Read the four letters. Whose drawings are these?

1

Pendant les vacances, je suis allé dans un camp de vacances dans les Alpes. Je suis parti le 30 juillet et je suis resté là une semaine. J'ai voyagé en car. C'était super! Pendant la semaine, on a visité des musées. Ça, je n'ai pas aimé, c'était nul. J'ai préféré jouer au football! J'ai passé une bonne semaine!
Pierrick

2

Cet été, je suis allée en vacances dans un camp. Je suis allée à la plage. J'ai voyagé en car. C'était nul! Je suis partie le trois juillet et je suis restée un mois. J'ai fait du sport, surtout du football. C'était génial! J'ai aussi visité des musées. C'était intéressant.
J'ai bien aimé mes vacances.
Anya

3

Cet été, je suis allé dans un camp de vacances. C'était dans les Alpes, dans le sud-est de la France. C'était super. Je suis parti à la fin juillet et je suis resté sept jours. On a pris le car et ça, j'ai détesté! Je préfère le train, c'est plus rapide! Au camp, on a fait du foot. C'était génial! On a aussi visité la région et les musées. C'était bien.
Louis

4

Pendant les vacances d'été, je suis allée à la montagne, dans un camping super. Je suis partie le trente juillet et je suis restée un week-end. J'ai voyagé en voiture avec mes parents. C'était long! Là-bas, j'ai joué au foot et on a visité des musées. Le foot, j'ai adoré mais les musées, c'était nul!
Christelle

PARLER **3b** A choisit une personne. B pose les questions pour deviner qui.
A chooses to be one of the four people. B works out who by asking the questions below.

1. Tu es allé(e) où?
2. Tu es parti(e) quand?
3. Tu es resté(e) combien de temps?
4. Tu as voyagé comment?
5. Qu'est-ce que tu as fait?
6. C'était comment?

ÉCRIRE PARLER **4** Raconte des vacances (réponds aux questions 1–6). Lis ton texte à ton/ta partenaire. Il/Elle devine si c'est vrai ou faux.
Play "Call my bluff". Write a brief summary of a holiday (true or invented) and read it out to your partner. He/She guesses whether it is true or not.

6 Encore

LIRE 1 Lis les phrases. Recopie et complète le plan.

Read the sentences. Copy and complete the plan.

- **a** La poste est en face de la banque.
- **b** Il y a une pharmacie à côté de la poste.
- **c** Le cinéma est entre la banque et la pharmacie.
- **d** En face du cinéma, il y a une boulangerie.
- **e** Le musée est en face de la pharmacie.
- **f** Il y a une crêperie entre la poste et le musée.
- **g** Est-ce qu'il y a un club des jeunes en ville? Oui, en face de la crêperie.

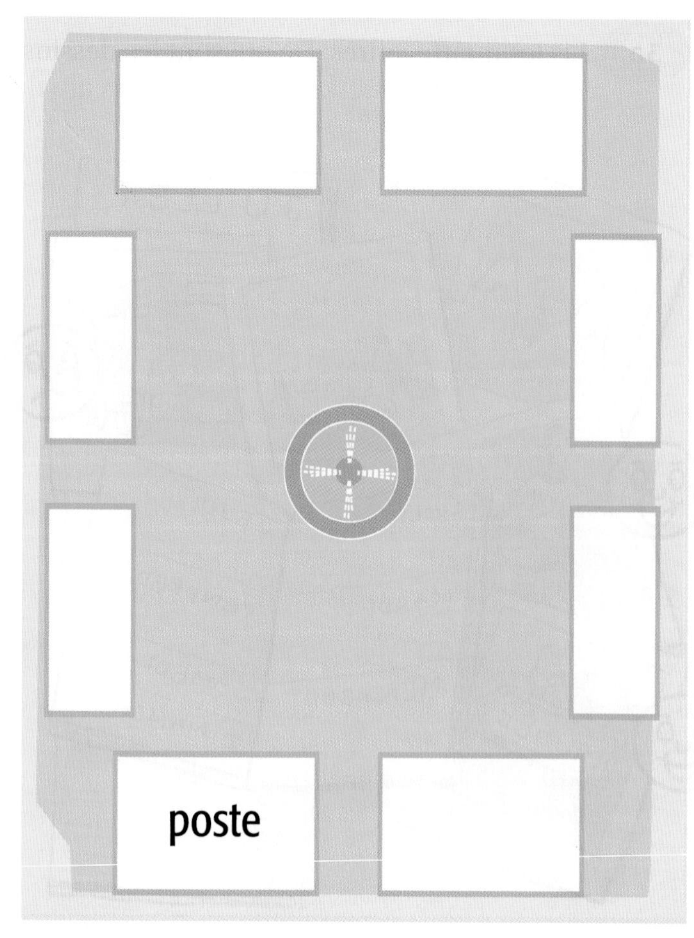

LIRE 2a Lis et complète la conversation avec les mots de la boîte.

Read and complete the conversation with words from the box.

feux Allez est Merci côté prenez loin rue mètres

- Excusez-moi. Où ❶ la poste, s'il vous plaît?
- La poste? ❷ tout droit et aux ❸ tournez à gauche. Puis, ❹ la première ❺ à droite et la poste est à ❻ du parc.
- C'est ❼?
- Non, c'est à cinq cents ❽.
- ❾ et au revoir.

ÉCOUTER 2b Écoute et vérifie.

PARLER 2c Jouez la conversation avec un(e) partenaire. Attention à la prononciation!

Act out the conversation with a partner. Be careful with your pronunciation!

PARLER 3 Invente des conversations avec un(e) partenaire (voir les images).

Exemple

A: C'est où, la boulangerie, s'il te plaît?
B: Prends la troisième rue à droite.
A: C'est loin?
B: Non, c'est à cent mètres.
A: Merci, je vais acheter une baguette.

Destination	Explications
	100m
	300m
	500m
	500m
	1000m

LIRE 4 Tu reconnais les monuments à Paris? Qu'est-ce que c'est (a–h)?

Do you recognize the sights of Paris? What's the name of each?

a

b

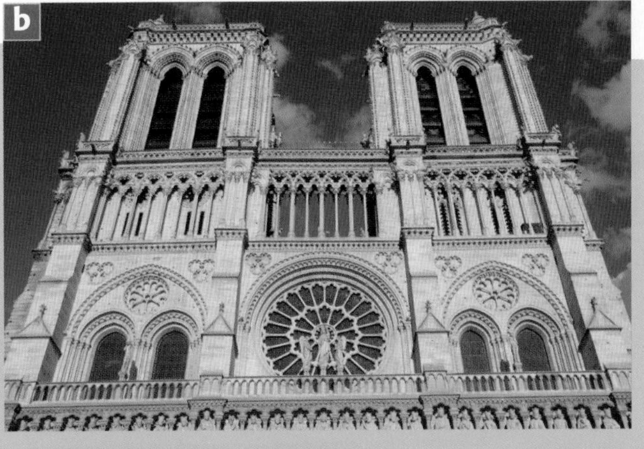

c

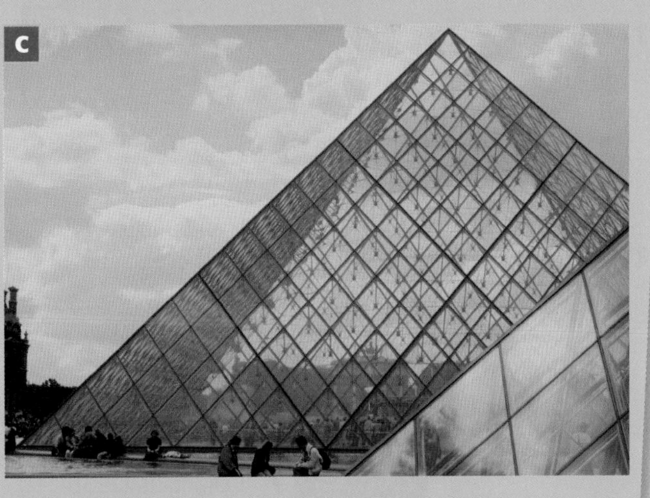

d C'est un quartier de Paris moderne avec beaucoup de bureaux et de magasins. Il y a aussi une grande arche.

e C'est un monument pour fêter les victoires de Napoléon. Il est sur les Champs-Élysées.

f C'est une église blanche à Montmartre.

g C'est un bâtiment d'art moderne.

h C'est le quartier où la technologie est importante et il y a un cinéma qui s'appelle la Géode.

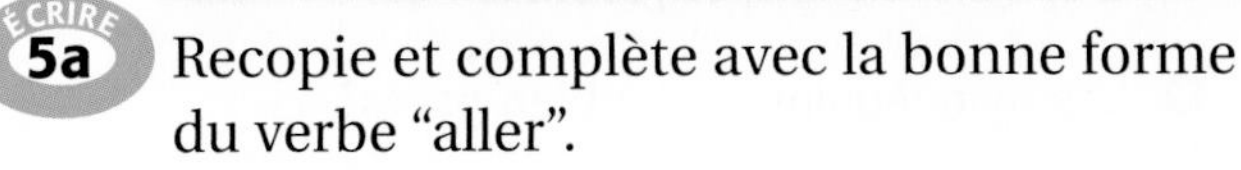

ÉCRIRE 5a Recopie et complète avec la bonne forme du verbe "aller".

Copy and complete with the correct form of *aller*.

Exemple **a** vais

- **a** Je *** passer mes prochaines vacances à Paris.
- **b** Tu *** monter en haut de la Tour Eiffel?
- **c** Il *** regarder des tableaux d'art moderne au Centre Pompidou.
- **d** Nous *** faire un tour en bateau sur la Seine.
- **e** Vous *** acheter des souvenirs à Montmartre?
- **f** Les touristes *** visiter les monuments historiques.

ÉCRIRE 5b Qu'est-ce que tu vas faire pendant les prochaines vacances? Écris cinq phrases minimum.

What will you do on your next holiday? Write at least five sentences.

Exemple Je vais …

1 En plus

Tu connais la nationalité des inventions?

1 Les jeux vidéo (1971) sont
- **a** américains
- **b** japonais
- **c** suisses

2 Les legos (1942) sont des jouets
- **a** allemands
- **b** espagnols
- **c** danois

3 Les poupées Barbie (1958) sont
- **a** canadiennes
- **b** allemandes
- **c** américaines

4 Les croissants sont
- **a** français
- **b** autrichiens
- **c** belges

5 Le premier ketchup est
- **a** américain
- **b** chinois
- **c** français

6 Les premières barres de chocolat (1819) sont
- **a** françaises
- **b** suisses
- **c** belges

7 L'Orangina (1936) est une boisson
- **a** française
- **b** espagnole
- **c** américaine

8 Les premières brosses à dents (15ième siècle) sont
- **a** japonaises
- **b** indiennes
- **c** chinoises

1a LIRE ÉCRIRE Lis le test. Il y a combien de nationalités? Continue la liste.

nationalité	pays
américain	États-Unis

1b LIRE Fais le test.

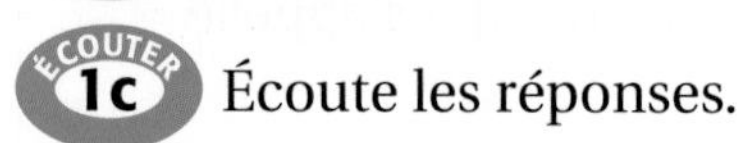

1c ÉCOUTER Écoute les réponses.

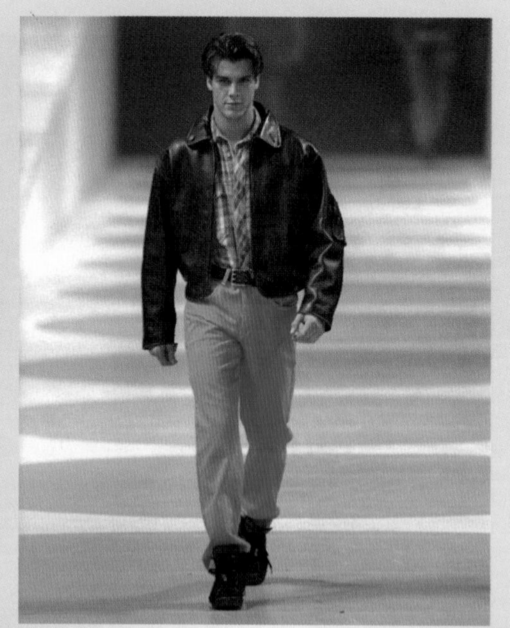

MANNEQUIN À 14 ANS

✪ Max, tu (avoir) 14 ans. Tu (être) mannequin depuis quand?

★ Depuis trois ans, et j'(adorer) ça!

✪ Les mannequins (être) bien payés?

★ Oui! Mais, pour moi, l'important, c'(être) la mode. Les vêtements (être) très cools.

✪ Tu (mettre) des vêtements à la mode?

★ Oui. Mais chez moi, je (mettre) des tenues décontractées. J'(aimer) bien le look sport.

2a PARLER Regarde la photo. Qu'est-ce que tu penses de la tenue de Max?

Exemple J'adore le blouson marron parce qu'il est pratique et confortable, mais je n'aime pas beaucoup …

2b LIRE ÉCRIRE Écris l'interview avec les bonnes formes des verbes à l'infinitif.

Write out the interview, changing the infinitives in brackets to the correct form of the verb.

Pour ou contre les uniformes au collège?

Nom: Anne
Âge: 13 ans
Nationalité: française

Moi, les uniformes, vestes, chemises, jupes ... non!!! Pourquoi? Parce que c'est ridicule. Ma tenue préférée, c'est un jean et un tee-shirt ou un pull. C'est pratique et confortable.

Nom: Stephen
Âge: 14 ans
Nationalité: anglais

Je suis pour les uniformes scolaires. Quand je vais au collège, je mets mon uniforme – un pantalon noir, une chemise blanche, une cravate noire et jaune et un pull noir. C'est simple et c'est économique.

Nom: Olivier
Âge: 14 ans
Nationalité: français

Je déteste les uniformes parce que – en général – ils sont moches. J'aime bien le look sport parce que c'est sympa. Pour aller au collège, je mets un pantalon large et un tee-shirt. Quand il fait froid, je mets un sweat.

Nom: Charlotte
Âge: 15 ans
Nationalité: galloise

On a un uniforme dans mon collège – pull gris, jupe grise ou pantalon gris, chemise bleue. J'aime bien parce que nous sommes tous pareils. Le week-end, je préfère le look décontracté ou, quand je vais en ville, le look habillé.

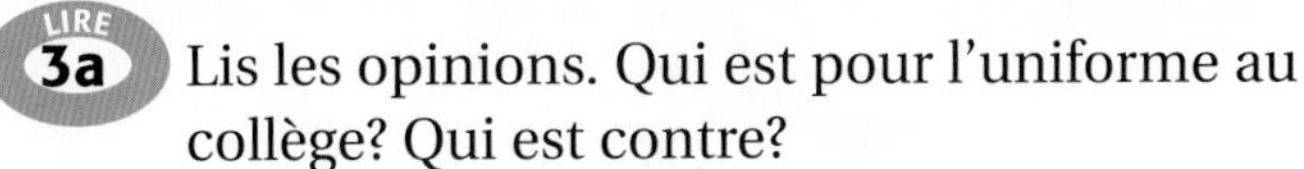

LIRE 3a Lis les opinions. Qui est pour l'uniforme au collège? Qui est contre?

LIRE 3b Recopie et complète les réponses aux questions.

- **a** Quels sont les vêtements préférés d'Anne? Anne aime ***
- **b** Stephen aime l'uniforme pour quelles raisons? Stephen aime l'uniforme parce que ***
- **c** Olivier est contre les uniformes pour quelles raisons? Olivier n'aime pas les uniformes parce qu'***
- **d** Quelles sont les couleurs de l'uniforme de Charlotte? L'uniforme de Charlotte est ***

ÉCRIRE 3c Donne ton opinion: pour ou contre les uniformes dans les collèges?

2 En plus

Santé-Junior

Des idées pour la santé!

Matin, midi et soir, choisis un aliment dans chaque groupe:

Groupe 1: la viande, le poisson, les œufs

Groupe 2: les fruits et les légumes verts

Groupe 3: les laitages et le fromage

Groupe 4: les céréales et les légumes secs

Un petit déjeuner-santé

- Bois un jus de fruit (orange, pamplemousse) ou mange un fruit (pomme, kiwi).
- Mange un œuf, du poulet ou du jambon avec un morceau de pain.
- Mange des céréales avec du lait ou du yaourt.
- Bois du lait ou du chocolat chaud.

4 heures: un goûter tonique!

- Ne bois pas de sodas (cola, limonade); prends une boisson au lait ou un jus de fruit.
- Ne mange pas de biscuits ni de gâteaux.
- Mange une tartine et une salade de fruits.

Révise les noms d'aliments de l'unité 2. Fais deux listes:
Revise names of food from Unit 2. Make two lists:

Hier, j'ai mangé ...	Hier, je n'ai pas mangé de ...

Lis l'article (p.110) et choisis le bon titre anglais.
Read the article on page 110. Which of these English titles would fit best?

a Are all foods healthy?
b Eat your way to good health!
c Lose weight with good food

Est-ce que tu as bien mangé hier? Explique pourquoi à ton/ta partenaire.
Did you eat healthily yesterday? Why (not)?

Exemple Hier, je n'ai pas bien mangé parce que j'ai mangé deux pizzas!

2c Écris des conseils pour le déjeuner et le dîner pour l'article.
Write a paragraph of advice for a healthy lunch and dinner in the style of the article.

Exemple Déjeuner – énergie
Le midi, mange des légumes, de la viande ou du poisson. Ne bois pas de sodas …

2d Discute avec ton/ta partenaire. Vous êtes d'accord? Pas d'accord?
Discuss with a partner and see if you agree or disagree.

Exemple A: Le soir, mange des pâtes ou du riz.
B: Je ne suis pas d'accord. Les pâtes et le riz, ce n'est pas bon le soir.

A pose les questions du test (à droite) et conseille un sport à B. Changez de rôle.
A asks the questions in the test and chooses a sport for B. Then swap roles.

Exemple A: Tu es très sportif?
B: Oui.
A: Tu aimes le sport actif?
B: Oui, beaucoup.
A: Alors, fais du squash ou du ping-pong.

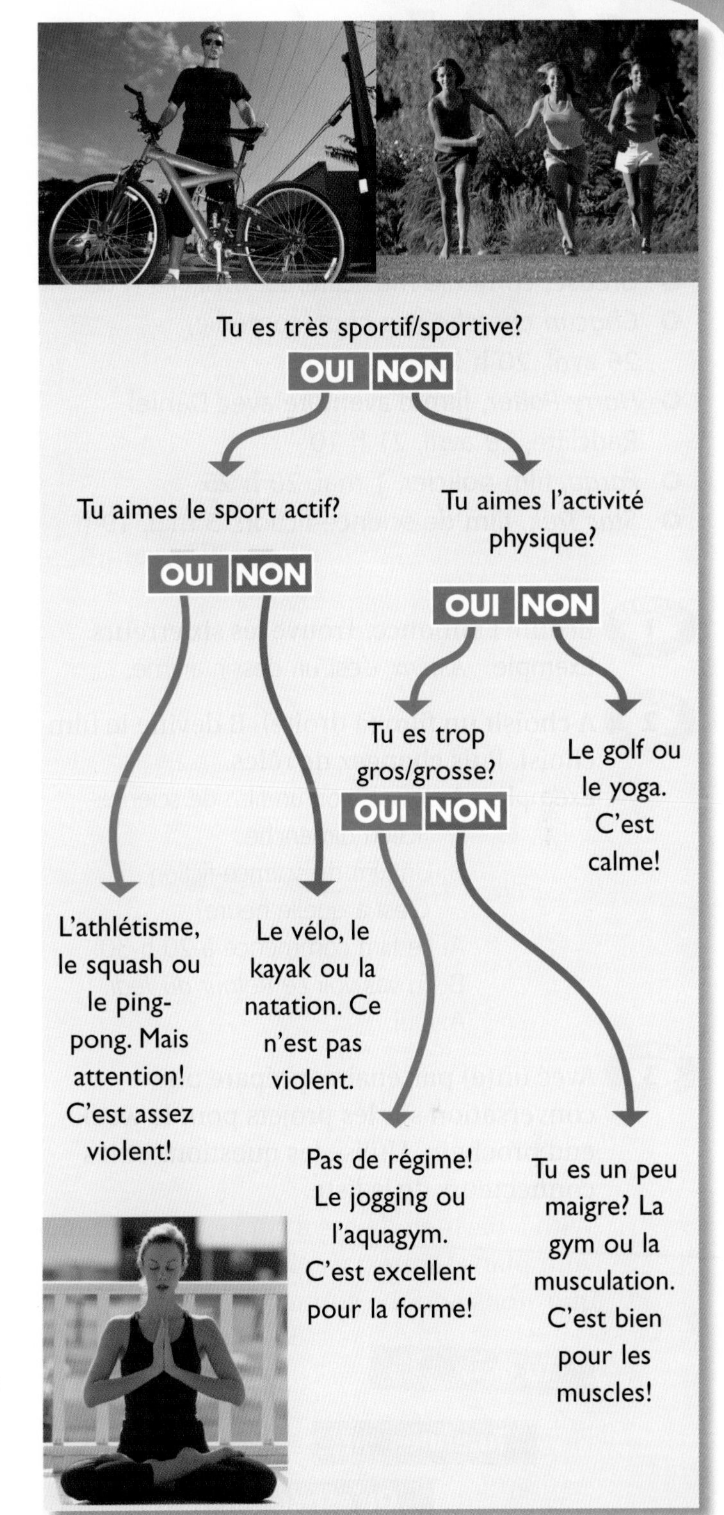

Ajoute d'autres questions et d'autres sports au mini-test.
Add other questions and other sports to the list.

Exemple Tu es sportif? Tu aimes le sport actif? Tu aimes faire du sport avec des copains? Fais du rugby!

3 En plus

- *Astérix et les Indiens*, dessin animé, 20 avril, 17 h 45
- *Grease*, comédie musicale, 22 avril, 19 h 05
- *Chacun cherche son chat*, comédie, 26 avril, 20 h 15
- *Harry Potter*, film d'aventure avec Daniel Radcliffe, 29 avril, 21 h 10
- *Fargo*, film policier, 1 mai, 20 h 25
- *Star Trek*, film de science-fiction, 3 mai, 19 h

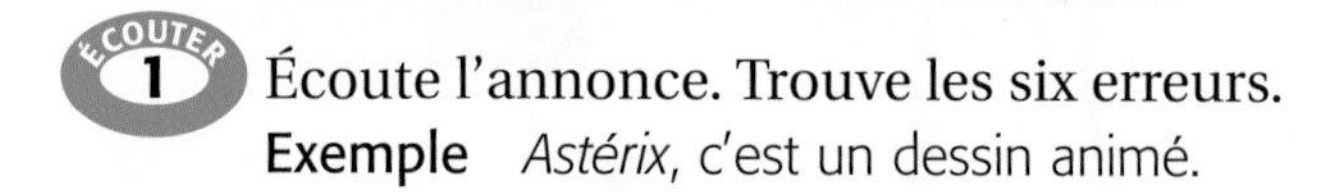

ÉCOUTER 1 Écoute l'annonce. Trouve les six erreurs.
Exemple *Astérix*, c'est un dessin animé.

PARLER LIRE 2 A choisit un film (à droite). B devine le film choisi. Puis changez de rôles.
Exemple A: Je vais voir un film de science-fiction dimanche.
B: Un film de science-fiction … C'est à quelle heure?
A: Le film commence à 20 h 30.
B: Tu vas voir *Le Retour du Jedi*.
A: Oui.

ÉCRIRE PARLER 3 Avec un(e) partenaire, prépare une conversation sur les projets pour le week-end prochain. Utilise les questions et les connecteurs de la liste.
With a partner, devise a conversation about your plans for next weekend. Use the questions and the connectives below.

Tu dois …? **Tu veux …?** **Tu aimes …?** **Qu'est-ce que tu vas …?** **À quelle heure?** **On se retrouve où?**

et **par contre** **mais** **aussi** **parce que**

CINÉMA

REX (4 SALLES)

Répondeur 08 36 68 69 02 – 3–5 Place Nationale – Dieppe

Ven., Sam. 14 h 15, 20 h 45, 23 h
Dim. 14 h 15, 16 h 39, 20 h 45 – Lun., Mar. 14 h 15, 20 h 45
Un film de Gore Verbinski avec Johnny Depp, Geoffrey Rush, Orlando Bloom, Jonathan Pryce et Keira Knightley
La malédiction du Black Pearl

LES PIRATES DES CARAÏBES

Ven., Sam. 14 h 15, 20 h Dim. 14 h 15.
Lun. 20 h 30 – Mar. 20 h 45.
Le film classique de James Bond 007
Avec Sean Connery, Honor Blackman et Gert Frobe

GOLDFINGER

Ven., Sam. 23 h Dim. 14 h 15, 20 h 45 –
Lun. 14 h 15 – Mar. 20 h 45
Un film de Peter Jackson avec Elijah Wood, Ian McKellen, Liv Tyler, Viggo Mortensen, Sean Astin, Cate Blanchett, Orlando Bloom etc.
La légende prend vie

LA COMMUNAUTÉ DE L'ANNEAU

Ven., Sam. 14 h 15, 23 h
Dim. 16 h 30, 20 h 30 – Lun. 14 h 15, 20 h 30 – Mar. 14 h 15.
Avec Harrison Ford, Carrie Fisher, Mark Hamill, Peter Cushing
Il y a vingt ans dans notre galaxie

LE RETOUR DU JEDI

Ven. 20 h 45 – Sam. 14 h 15, 20 h 45 –
Dim. 14 h 15, 16 h 30 – Mar. 20 h 45.
Walt Disney présente un film de Stephen Herek avec Glenn Close, Jeff Daniels, Joely Richardson

LES 101 DALMATIENS

Qu'est-ce que tu vas faire le week-end prochain? Moi, je vais faire beaucoup de choses!
Samedi matin, je dois aller au collège jusqu'à midi et quart. Après le déjeuner, je vais faire mes devoirs. Je n'aime pas les devoirs, surtout les maths, parce que c'est difficile.
À trois heures, j'ai un rendez-vous avec Alika au café près du cinéma où nous allons manger une glace ensemble. Alika, c'est ma petite copine depuis un mois et elle est très sympa!
Après ça, je veux aller à la patinoire avec Alika, mais elle doit rentrer chez elle pour garder son petit frère. Dommage! Alors, moi, je vais passer mon samedi soir au centre sportif avec mes amis. On va faire de la natation et du bowling. Ça va être amusant!
Dimanche matin, je vais promener le chien et acheter des croissants pour ma famille. Je dois aussi ranger ma chambre!
À midi, je vais manger au restaurant au centre-ville avec ma famille. C'est pour fêter l'anniversaire de mon grand-père. Je vais lui donner une cravate rose comme cadeau.
Plus tard, je vais faire de la voile avec un groupe du club des jeunes. Nous faisons ça tous les dimanches à quatre heures (même quand il fait froid et il pleut!). J'aime la voile, mais c'est fatigant!
Dimanche soir, je vais aller chez Alika et on va regarder un peu la télévision. Elle adore l'émission "Vidéo gag". Personellement, je trouve ça nul, mais j'aime regarder la télé avec Alika. Je dois rentrer chez moi vers neuf heures.
Ça va être un week-end sympa!
Tu vas passer un bon week-end?
Écris-moi vite!
À+, Conrad

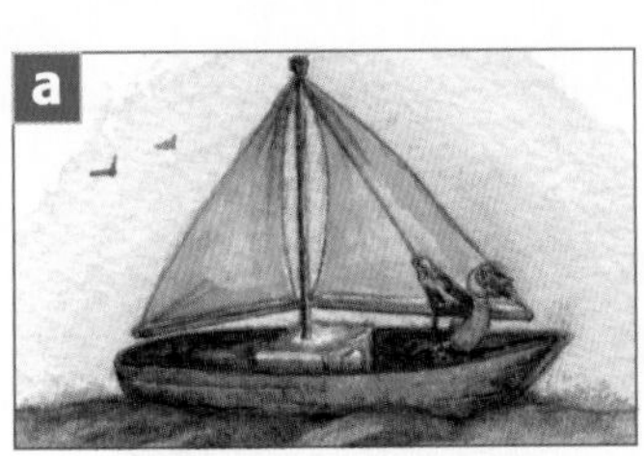

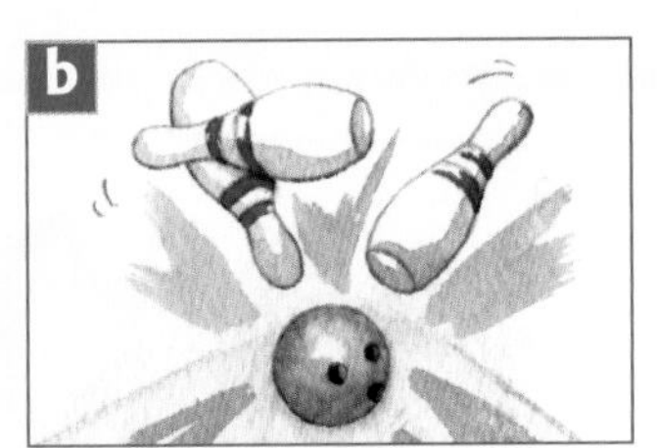

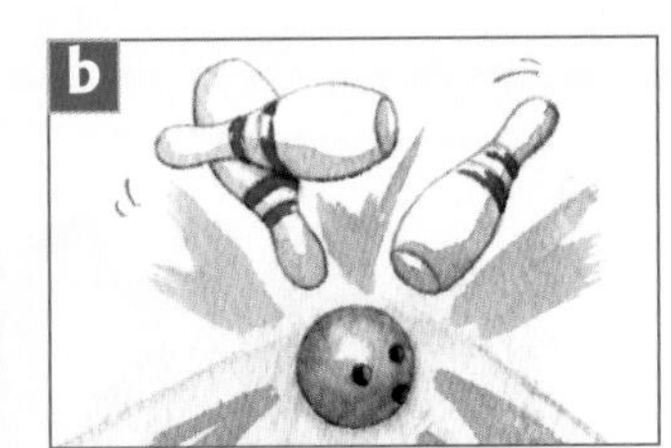

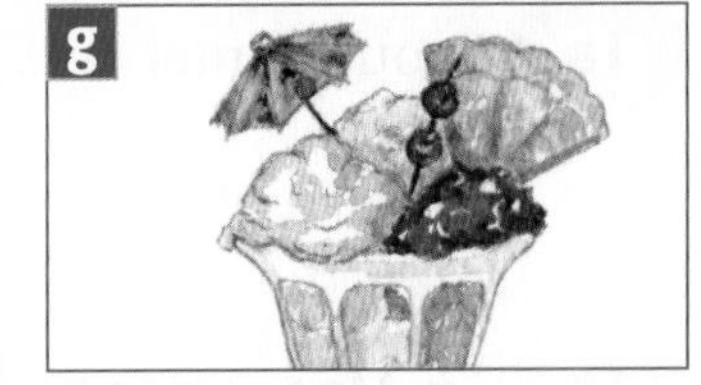

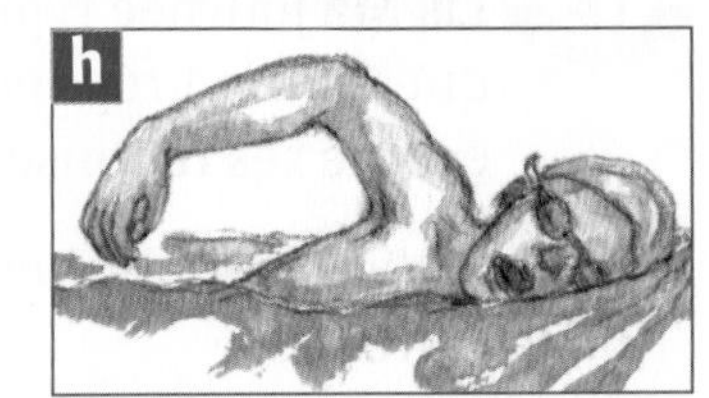

LIRE 4a Lis la lettre et mets les illustrations dans le bon ordre.

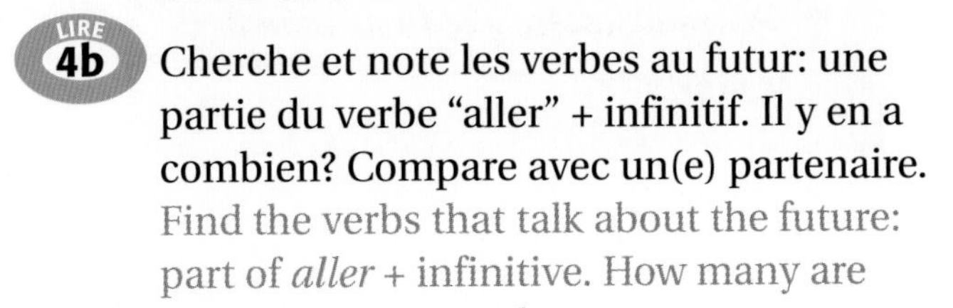

LIRE 4b Cherche et note les verbes au futur: une partie du verbe "aller" + infinitif. Il y en a combien? Compare avec un(e) partenaire.
Find the verbs that talk about the future: part of *aller* + infinitive. How many are there? Compare with a partner.
Exemple je vais faire …

ÉCRIRE 4c Écris une réponse à Conrad (80–100 mots).

4 En plus

Laurent Dury, le musicien d'Équipe

Nom: Dury
Prénom: Laurent
Âge: * * * ans
Domicile: Londres
Métier: compositeur, * * *
Famille: célibataire, une * * *
Passions: la musique, la littérature, * * *

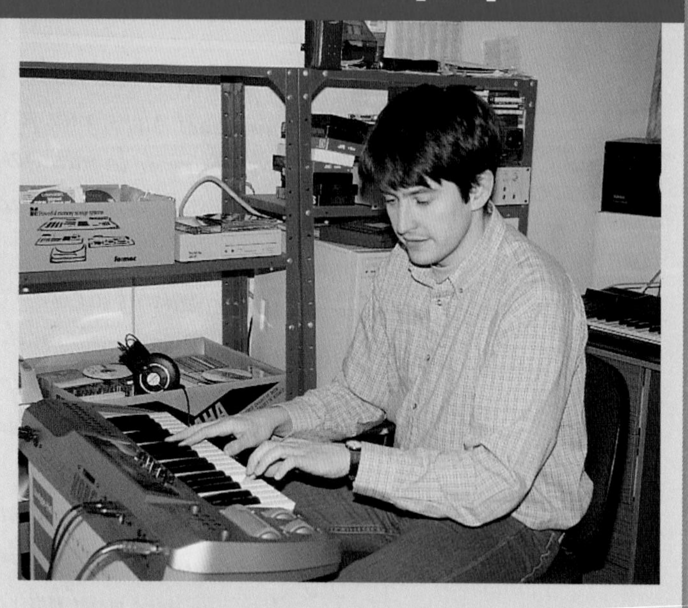

Ma journée typique

8 h 00 Je me lève, je me prépare et je prends le petit déjeuner.

8 h 30 Je me mets à mon ordinateur et je compose.

13 h 00 Je m'arrête pour déjeuner.

14 h 00 Je vais à des rendez-vous. Je me repose ou je me promène en ville ou dans un parc.

16 h 00 Je me remets à l'ordinateur et je travaille encore trois heures.

19 h 00 Je dîne à la maison et je regarde la télé ou je sors: je vais chez des amis, et de temps en temps à un concert de musique classique.

Mes débuts

J'ai commencé la musique à 10 ans. Je joue de l'orgue, du piano, du clavier et un peu de la guitare. En France, j'ai fait des études de musique. J'ai été prof de musique. J'ai joué dans des groupes. Je suis venu à Londres pour faire de la musique pour le multimédia.

1a Écoute l'interview. Recopie et complète la fiche.
Listen to the interview. Copy out the *fiche* (dark blue box), filling in the gaps.

1b Lis Ma journée typique. Écoute les questions et réponds pour Laurent. Puis, écoute ses réponses pour vérifier.

1c Lis Mes débuts. Réponds aux questions à droite.

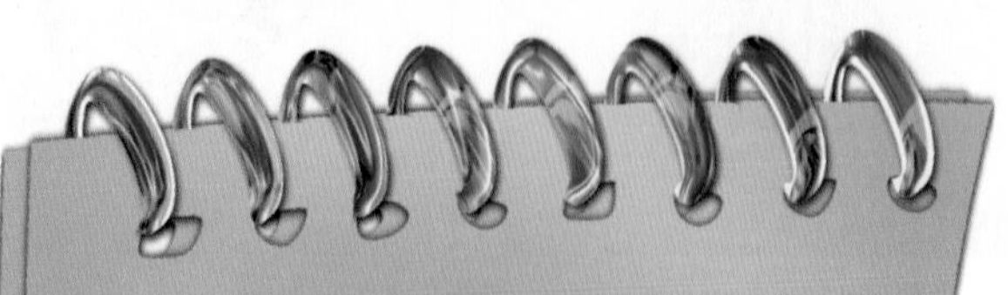

1 *Tu as commencé la musique quand?*
2 *Tu joues de quels instruments?*
3 *Qu'est-ce que tu as fait en France?*
4 *Pourquoi est-ce que tu es venu à Londres?*

Prends de bonnes résolutions. Écris une liste.

Exemple Je vais faire les courses tous les jours.

Lis les questions a–e. Écoute Marie. Réponds aux questions.

a Elle a fait les courses?
b Elle a fait la cuisine?
c Elle a mis le couvert?
d Qu'est-ce qu'elle a fait après le repas?
e Qu'est-ce qu'elle a fait dans le salon?

Jeu de rôle.

Personnages: la mère/le père et un(e) adolescent(e)

Situation: L'adolescent(e) est en vacances. Il/Elle a passé la journée à la maison. La mère/Le père rentre après une journée au travail. La maison est en désordre. La mère/Le père est furieuse/furieux.

Commencez:

Mère/Père: Qu'est ce que tu as fait toute la journée?
Adolescent(e): J'ai regardé des vidéos!
Mère/Père: Tu as regardé des vidéos??? Tu n'as pas fait les courses?
Adolescent(e): Euh, non, je n'ai pas fait les courses.
Mère/Père: Tu n'as pas fait le ménage?

etc.

5 En plus

Tour du monde à vélo

À 27 et 25 ans, Claude et son amie Françoise avaient un grand rêve: faire le tour du monde. Le 1er avril 1980, ils sont partis de Lyon, en France, à vélo ... pour faire un voyage extraordinaire!

D'abord, ils sont allés dans le nord de l'Europe, jusqu'au Cap Nord. Après, ils sont descendus par l'Europe centrale et ils sont allés en Asie. Ils sont restés six ans en Asie!

Ils ont visité le Pakistan, l'Inde, la Chine, et beaucoup d'autres pays! Ils ont eu beaucoup d'aventures: Ils ont campé dans des déserts et dans la jungle. Ils sont montés sur les sommets de l'Himalaya. Ils ont mangé des choses très "exotiques": du hérisson, du singe, des coléoptères ... et ils se sont mariés!

22

LIRE 1a Lis l'article et trouve:

- **a** trois prénoms
- **b** deux mois
- **c** deux villes
- **d** neuf pays
- **e** trois animaux

LIRE 1b Ça se dit comment en français?

- **a** An extraordinary trip
- **b** They went to Asia.
- **c** They stayed six years.
- **d** They camped in deserts and in the jungle.
- **e** They arrived in Australia.
- **f** They continued their adventure.

LIRE 2 Vrai ou faux? Corrige si c'est faux.

- **a** Claude and Françoise always wanted to go round the world.
- **b** They were married before they left.
- **c** They went back to France to have a baby.
- **d** They put their baby girl in a basket on their bikes.
- **e** They made up a small trailer for her.
- **f** Manon now has friends all over the world.

En 1987, ils sont arrivés en Australie. En 1988, en Nouvelle-Zélande, ils ont eu un bébé, une petite fille, Manon. C'était la fin du voyage? Eh non! Ils ont continué leur aventure! Ils ont mis Manon dans un petit panier et ils sont remontés sur les vélos! Après, Manon était dans une petite remorque spécialement équipée.

Avec Manon, ils ont traversé les États-Unis, l'Amérique du Sud, l'Afrique de l'Ouest, le Maroc et l'Espagne. Le 1er mai 1994, ils sont arrivés à Paris: c'était la fin du tour du monde de 14 ans!

C'était vraiment extraordinaire pour Claude et Françoise, mais surtout pour Manon: elle a des copains sur tous les continents!

23

3 Lis l'article et recopie les phrases dans l'ordre chronologique.

- **a** Ils ont eu un bébé quand ils étaient en Nouvelle-Zélande.
- **b** Ils sont arrivés à Paris quand Manon avait six ans.
- **c** Ils ont commencé le voyage en 1980.
- **d** Puis ils sont restés six ans en Asie.
- **e** Ils sont d'abord allés en Europe.
- **f** Ils ont continué le voyage avec le bébé sur le vélo.

4 Imagine: tu es Claude ou Françoise. Un reporter fait une interview sur Internet. Réponds à ses questions.

- **a** Vous êtes allé(e) où?
- **b** Vous êtes parti(e) quand?
- **c** Vous êtes resté(e) combien de temps?
- **d** Vous avez voyagé comment?
- **e** Qu'est-ce que vous avez fait?
- **f** C'était comment?

5 A est Claude ou Françoise. B est reporter et prépare 10 questions. Imaginez l'interview.

6 En plus

ÉCRIRE **1** Décris la place de la Fontaine. Utilise "en face de", "près de" et "à côté de".

Exemple Le café est en face de la poste.

ÉCOUTER **2** Écoute les cinq conversations et dessine le chemin. Puis, compare avec un(e) partenaire.

Listen to the five conversations and sketch the routes. Compare with a partner.

Exemple

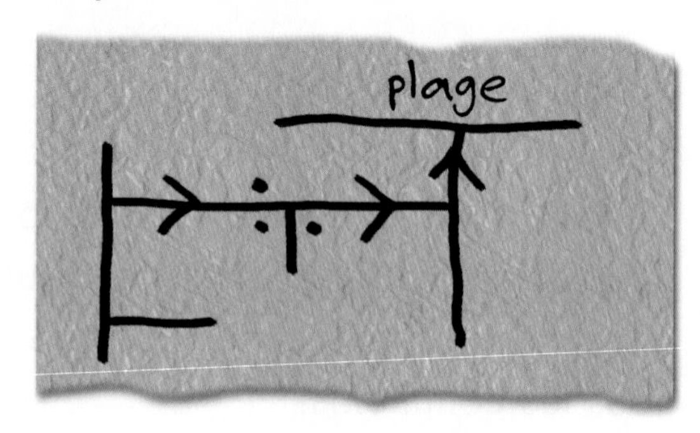

PARLER **3** Imagine que tu es en vacances à Paris et que tu rencontres ton prof de français devant la Tour Eiffel. A est le prof qui pose beaucoup de questions et B répond.

Imagine you're in Paris on holiday and you meet your French teacher by the Eiffel Tower. A is the teacher, who asks lots of questions. B replies.

Exemple B: Quelle surprise!
A: Oui, bonjour! Tu aimes Paris? …

Tu es arrivé(e) quand?

Tu as visité …?

Qu'est-ce que tu as fait?

Tu es monté(e) en haut de la Tour Eiffel?

Tu as acheté des souvenirs?

C'était comment?

Ton hôtel, c'est loin?

Qu'est-ce que tu vas faire demain?

a

J'adore Paris parce que c'est une ville magnifique! Je passe une semaine ici et je m'amuse bien! Tous les jours, je visite des monuments historiques et touristiques comme la Tour Eiffel, etc. C'est génial! Aujourd'hui, je suis à Montmartre, près du Sacré-Cœur, pour regarder les artistes et pour retrouver des copains au café. J'ai un beau souvenir pour toi – un porte-clés de la Tour Eiffel! À bientôt!
Marilyne

b

J'arrive à Dieppe demain soir! Tu vas venir me chercher à la gare à 19 h 30, hein? S'il fait beau, plage tous les jours! Autrement, qu'est-ce qu'on va faire? On va visiter le château? On va aller en ville et je vais acheter des souvenirs pour toute ma famille? Je suis impatient de te voir!
Grosses bises,
Marc

LIRE 4a Lis les trois textes. Quel texte est au passé? Au présent? Au futur?
Read the three texts. Which text is in the past? In the present? In the future?

LIRE 4b Relis les textes et trouve (a) les mots qui indiquent le temps et (b) les connecteurs.
Re-read the texts and find (a) the time phrases and (b) the connectives.

Exemple **a** tous les jours, aujourd'hui …
b parce que …

LIRE 4c Réponds aux questions.

- **a** Qui a visité des monuments historiques pendant les vacances?
- **b** Où est-ce qu'on peut regarder des artistes au travail?
- **c** Qui prend le train pour aller en vacances?
- **d** Amboise, c'est la capitale de la France?
- **e** Qui est le plus sportif/la plus sportive? Pourquoi?
- **f** Tu voudrais partir en vacances avec Marilyne, avec Susie ou avec Marc? Pourquoi?

ÉCRIRE 4d Et toi? Complète ces phrases. Donne un maximum de détails!

- **a** Géniales, mes dernières vacances! Je suis allé(e) …
- **b** J'adore les vacances. Je …
- **c** Au mois d'août, je vais partir en vacances. Je vais …

c

Cher Antoine,

Formidables, les vacances en France! C'était fantastique! J'ai passé un mois en France avec ma famille et nous avons fait du camping dans différentes régions.

D'abord, en Bretagne, nous avons trouvé un camping près de la plage. J'ai nagé tous les jours et nous avons visité le Mont Saint-Michel. C'était super!

Ensuite, nous sommes partis visiter les châteaux de la Loire. Notre camping était à Amboise - une jolie ville où j'ai acheté des bonbons pour mon petit copain et vingt cartes postales! J'ai écrit à tous mes copains! Les châteaux étaient fantastiques! Moi, j'ai préféré Chenonceaux, où j'ai loué un bateau avec mon père pendant une heure. C'était amusant!

Après ça, nous sommes allés à Chamonix dans les Alpes parce que mes parents adorent les montagnes. J'ai fait beaucoup de longues promenades (bien pour la forme, mais un peu fatigant!) et j'ai fait de l'escalade. C'était super parce que mon guide de montagne était sympa!

Et toi? Qu'est-ce que tu as fait pendant les vacances?

Écris-moi vite!

Bisous,

Susie

1 Point lecture

Qu'est-ce que je mets?
Ma jolie robe rayeé? Elle est trop serrée.
a
b
c
d

Pour aller chez Noé,
Qu'est-ce que je mets?
Qu'est-ce que je mets?
Ma jolie robe rayée?
Elle est trop serrée.
Mon tee-shirt en lycra?
Ça ne me va pas.
Aïe aïe aïe, qu'est-ce que je mets?

Refrain
Ma tenue préférée,
C'est mon jean délavé,
Mon vieux jean,
Mon blue-jean,
C'est le blues du blue-jean.

Pour aller chez Clément,
Qu'est-ce que je mets?
Qu'est-ce que je mets?
Mon beau pantalon blanc?
Il est bien trop grand.
Mon caleçon rose et gris?
Il est trop petit!
Aïe aïe aïe, qu'est-ce que je mets?
Refrain

Ça y est, j'ai une idée.
Qu'est-ce que c'est?
Qu'est-ce que c'est?
Mon vieux jean délavé!
Mon jean adoré,
Avec un nouveau sweat
Et mes vieilles baskets,
Oh là là, c'est sympa!
Refrain

trop = too

1a (ÉCOUTER / LIRE) Écoute et lis la chanson. Tu préfères quel titre?
Listen to the song and read the lyrics. Which title works best?

- **a** Je déteste les jeans
- **b** Le blues du blue-jean
- **c** Quand je vais en ville

1b (LIRE) Relis la chanson. Trouve:

- **a** it's too tight
- **b** it doesn't suit me
- **c** That's it!

1c (LIRE) Cherche les mots que tu ne connais pas dans le glossaire ou dans un dictionnaire.
Look up the words you don't know in the glossary or in a dictionary.

1d (ÉCRIRE) Invente des bulles pour les dessins.

L'histoire de la mode féminine

En 1900, on porte les robes longues et droites, mais en 1920, on préfère les robes ou les jupes courtes. Les cheveux courts sont à la mode.

En 1940, c'est le look habillé. Les jupes sont courtes et les talons sont hauts. Dans les années 50, le couturier Christian Dior invente le "new look": c'est un style très féminin. Encore une fois, les jupes sont longues.

Dans les années 60, c'est l'époque des mini-jupes. En France, les couturiers favoris sont Courrèges et Paco Rabanne. Ils adorent le noir et le blanc et les motifs géométriques. Ils inventent les robes en nylon et les bottes de science-fiction.

Dans les années 90, c'est le look décontracté. Les jeunes mettent un jean et un tee-shirt, avec des baskets de marque.

LIRE 2a Regarde les images et lis l'article. Tu aimes quel look?
Look at the pictures and read the article. Which look do you prefer?

LIRE 2b Trouve:
- **a** nylon dresses
- **b** designer trainers
- **c** fashion designer
- **d** long and straight
- **e** high
- **f** heels
- **g** in fashion

ÉCOUTER 3 Écoute. Ils aiment ou pas? Écris la date et dessine ☺ ou ☹ .
Listen. Do the speakers like the style? Write the date and write ☺ or ☹ beside it.

PARLER 4 Qu'est-ce que tu penses des tenues sur les photos? Ton/Ta partenaire est d'accord?
Say what you think of the styles in the photos. Does your partner agree with you?

ÉCRIRE 5 Continue l'article. Écris un paragraphe pour décrire le look d'aujourd'hui.
Write a short paragraph describing today's fashion.

2 Point lecture

Charlie le chat

Le vélo, c'est super pour la forme!

Regardez! Sans les mains!

Regardez! Sans les pieds!

Regardez! Sans les yeux!

Regardez! Sans les dents!
HA HA HA HA

1a ÉCOUTER LIRE Écoute et lis! Quels mots décrivent Charlie?
Listen and read. Which words describe Charlie?

intelligent **stupide** **cool** **sportif** **sérieux** **calme**

1b ÉCOUTER PARLER Réécoute. À deux, lisez l'histoire.
With a partner, read the story aloud with plenty of expression.

2a LIRE ÉCRIRE Regarde les dessins 1–4 et complète ces expressions françaises avec les bons mots.
Look at pictures 1–4 and complete the idioms with words from the box.

cheveux tête yeux pied gorge

2b LIRE C'est quoi en anglais?
Find the English equivalent from the list.

Coûter les *** de la ***

Avoir un chat dans la ***

Couper les *** en quatre.

a It costs an arm and a leg.
b to have a frog in one's throat
c It's great.
d to split hairs

Ouille, aïe, oh là là!

Tous les matins
au petit déjeuner,
j'entends Maman
me répéter:
"Ne bois pas ci,
ne bois pas ça,
bois du jus de fruits,
pas du coca!"

Ouille, aïe, oh là là!
Vive le milk-shake et le coca!

L'après-midi
à la cantine,
moi, j'ai envie
de grosses tartines.
Mais pour la forme
on nous le dit:
mangez des pommes
et des kiwis!

Ouille, aïe, oh là là!
Vive les tartines au chocolat!

Je fais du yoga
j'ai mal au dos.
Je fais du judo,
j'ai mal aux bras.
Un sport génial
pour la santé,
c'est le football
à la télé!

Ouille, aïe, oh là là!
Vive la télé et le sofa!

Ouille, aïe, oh là là!
Vive le milk-shake et le coca!
Vive les tartines au chocolat!
Vive la télé et le sofa!

ÉCOUTER 3a Écoute la chanson et numérote les dessins dans l'ordre mentionné.
Listen to the song and number the pictures in the order you hear them mentioned.

PARLER ÉCOUTER 3b Réécoute et chante!

LIRE 3c Arrange les morceaux de phrases suivants pour faire un nouveau couplet!
Rearrange these phrases to make up a new verse.

"Fais attention | Papa me dit: | à ta santé. | ni de sortie! | Le soir au dîner, | Pas de télé | et va au lit!" | Mange léger

ÉCRIRE 3d À toi d'inventer un autre couplet!
Invent a new verse!

3 Point lecture

cinéma – grand écran – dolby digital

édition spéciale

trilogie star wars

vendredi 6 juin

billets en vente le jour même à partir de 14 h.

la guerre des étoiles 20h30
l'empire contre attaque 22h45
le retour du jedi 1h00

1 film: 2,30, 4 et 6,15 € / 3 films: 7, 8,50 et 14,15 €
dsn – cinéma jean renoir – dieppe
1, quai bérigny – 02 35 82 04 43 – 3615 inf 76

Lis l'annonce et réponds aux questions.

- **a** Comment s'appelle le cinéma?
- **b** Quelle est l'adresse du cinéma?
- **c** Quel est le numéro de téléphone?
- **d** On peut acheter des billets avant le 6 juin?
- **e** À quelle heure commence *La Guerre des étoiles*?
- **f** À quelle heure commence *L'Empire contre-attaque*?
- **g** Comment s'appelle le troisième film?
- **h** On peut voir un film pour 2 euros 30?
- **i** On peut voir trois films pour 6 euros 15?

LIRE **2** Lis l'article sur les chaînes du câble. Note les points importants en anglais et compare avec un(e) partenaire.
Read the article about cable channels. Note the important points in English and compare with a partner.
Exemple MTV: American music channel

Comment choisir sa chaîne sur le câble? Voici une sélection de chaînes de câble.

MTV
C'est la chaîne musicale américaine. Tout en anglais. Au programme: des clips et des concerts (Nirvana, Jamiroquai, Aerosmith, U2, The Darkness ...)

CANAL J
C'est la chaîne des enfants entre 2 et 14 ans. On y trouve des dessins animés, des séries et des films pour les jeunes comme *Sabrina*, *Jimmy Neutron*, *Mémomix* et *Martin mystère*.

EUROSPORT

Ici, du sport 24 heures sur 24: de grands événements (les Jeux Olympiques, le championnat de France de basket, la coupe du monde de ski ...) et des sports que l'on voit rarement à la télé: le tir à l'arc, les arts martiaux, le basket, les fléchettes, le sumo ...

Il y a aussi beaucoup de chaînes cinéma, comme Ciné premier.

Tu aimes le cinéma? Va à www.momes.net et clique sur "cinéma".

Les jeunes parlent de leurs acteurs et actrices préférés ...

★ Moi, je suis très fan de Johnny Depp car c'est mon acteur préféré. Dans ma chambre, j'ai plein de photos de lui. J'ai aussi des films avec lui.
Albane

★ Salut! J'aimerais vous parler de mon comédien préféré, Guillaume Lemay-Thivierge. Il a commencé à travailler comme comédien dans le film "Le matou" quand il avait six ans et il adore ça! Il joue dans plusieurs émissions de télé comme "Radio Enfer" où il est tellement drôle.
Pierre

★ Salut, je m'appelle Clara et j'adore l'actrice Jennifer Aniston. Elle est vraiment super belle et elle joue très bien. Si vous ne l'avez jamais vue, regardez la série "Friends" le mercredi soir à 18h sur France 2. C'est une série trop délirante.

★ Salut, je m'appelle Barbara et j'ai 13 ans. Je suis fan d'un acteur peu connu mais très mignon. Il s'appelle Trévor Morgan, il est né le 26 novembre 1986. J'ai beaucoup d'infos sur lui et il joue le rôle d'Éric dans "Jurassic Park 3". Je suis en train de préparer un site web sur lui.

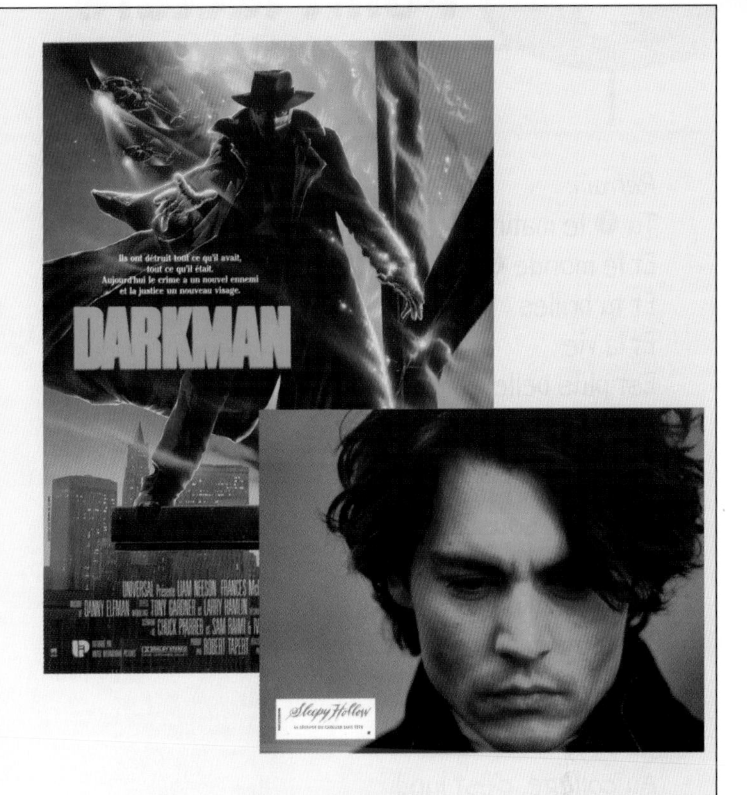

... et leurs films préférés!

★ Bonjour, je m'appelle Matthieu et j'ai six ans. Je voudrais parler du film "Napoléon en Australie" que j'ai beaucoup aimé. J'ai surtout trouvé que ce film plairait aux aventuriers comme moi, ou à ceux qui aiment les films d'Indiana Jones, sauf que là le héros est un petit chien. Mais pas ordinaire: très courageux, qui a vaincu des milliers d'obstacles.

★ Bonjour. Moi, c'est Alexandre. Je vais vous parler du film peu populaire "Darkman". C'est mon film préféré. Il est excellent!!! Les acteurs sont parfaits, l'histoire palpitante, les effets ... exorbitants!

★ Salut. Je m'appelle Tiphaine, j'ai 15 ans et mon film préféré, c'est "Billy Elliott". J'aime le livre aussi, mais le film est super bien.

★ Bonjour! C'est moi, Émilie! Un film que j'ai adoré, c'est "La Cure". C'est une très belle histoire et ... c'est triste. J'ai beaucoup pleuré. C'est la triste histoire d'un jeune garçon, âgé de 11 ans, qui attrape le SIDA à la suite d'une transfusion sanguine, mais je n'en dis pas plus! À vous de voir la suite!!

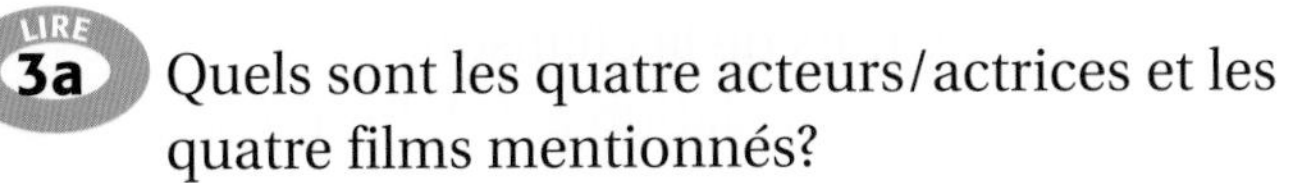

LIRE 3a Quels sont les quatre acteurs/actrices et les quatre films mentionnés?
Which four actors and which four films are mentioned?

LIRE 3b Qui ...?

a a vu le film d'un enfant malade?
b aime un film avec un animal comme héros?
c aime beaucoup l'informatique?
d a des photos de Johnny Depp dans sa chambre?
e aime une série américaine?
f joue dans le film *Jurassic Park 3*?

4 Point lecture

Refrain:
Tu ❶ le matin
Et le monde ❷
Et tu brilles
Et la vie
Est plus belle.
Bonjour, bonjour le soleil,
Tu ❸ et le monde ❹.

Au soleil, sous la pluie,
On ❺, on ❻.
À midi, à minuit,
C'est normal, c'est la vie.
Refrain

Je ❼, je ❽,
Au collège, c'est lundi.
Vivement samedi!
C'est normal, c'est la vie.
Refrain

Je ❾ chaque soir,
Je ❿, tôt ou tard,
Doucement, sans cauchemars,
C'est normal, c'est comme ça.
Refrain

Écoute la chanson. Donne ton opinion.
Listen to the song and give it a mark out of 20 to show what you think of it.

Réécoute et lis. Recopie la chanson, en remplaçant les chiffres par les verbes de la boîte.
Listen to the song again and read it. Copy out the lyrics, replacing the numbers with the verbs in the box below.

Exemple ❶ te lèves

s'amuse	me lève	te lèves	se réveille
s'ennuie	m'endors	te lèves	se réveille
	m'habille	me couche	

Choisis la bonne traduction, a ou b, pour ces extraits de la chanson.
Choose translation a or b for these extracts from the song.

1 sous la pluie — **a** under the rain / **b** in the rain
2 au soleil — **a** at the sunshine / **b** in the sunshine
3 c'est la vie! — **a** it's the life! / **b** that's life!
4 on s'ennuie — **a** we get bored / **b** we bore ourselves

Réécoute et chante.

S.O.S.

Tu as un problème? Envoie ton courrier à Valérie. Elle t'aidera à trouver une solution.

Chère Valérie

J'ai treize ans et j'habite à Clermont-Ferrand. Mes parents sont très sévères. Le soir, je me couche à huit heures, même le week-end. Mon père dit que c'est une heure raisonnable. Tu es d'accord?

Sophie

Chère Sophie

Non, je ne suis pas d'accord. Tu te lèves à quelle heure le matin? Parle avec tes parents. Demande la permission de te coucher plus tard le week-end. Ton père peut consulter un professeur ou le père/la mère d'un(e) adolescent(e) de ton âge.

Valérie

Chère Valérie

J'ai un gros problème! J'habite un petit appartement avec ma mère et ma sœur. Ma mère est professeur et elle a beaucoup de travail au collège. Moi, je fais les courses, je fais le ménage, je prépare le dîner. Mais ma sœur est pénible. Elle n'aide pas à la maison.

Olivier

Cher Olivier

Avec ta mère et ta sœur, écris un planning avec toutes les tâches ménagères. Partagez le travail. Par exemple: le mardi, tu fais les courses, ta sœur fait le ménage et ta mère fait la cuisine. Le mercredi, tu fais le ménage, ta mère fait les courses et ta sœur fait la cuisine, etc., etc.

Valérie

elle t'aidera = she will help you
ma sœur est pénible = my sister's a pain
partager = to share

LIRE 2a Lis l'article et trouve:

- **a** my parents are very strict
- **b** even at weekends
- **c** do you agree?
- **d** what time do you get up in the mornings?
- **e** she has a lot of work at school
- **f** I get the dinner ready
- **g** write out a rota with all the household chores
- **h** share the work

Réponds aux questions en anglais.

- **a** Where does Olivier live?
- **b** Who does he live with?
- **c** What is his mother's job?
- **d** What jobs does he do to help at home?
- **e** What does his sister do?
- **f** What does Valérie suggest to help him?

Discute de la lettre de Sophie et de sa réponse avec un(e) partenaire. Écris un résumé en anglais.

Discuss Sophie's letter and the answer to it with a partner. Then write a summary in English.

Écris une lettre à Valérie. Choisis un des problèmes suivants.

Write your own letter to Valérie. Choose one of the following problems:

- **a** Je fais la vaisselle tous les jours. Mon frère n'aide pas.
- **b** Je partage ma chambre avec ma sœur. Elle ne range jamais.
- **c** Mes parents sont sévères. Je dois faire mes devoirs tous les soirs, même le week-end.

5 Point lecture

La Ronde des pays

Ta montre est faite en Suisse
Ta chemise est faite en Inde
Ta radio est faite en Chine
Et ta voiture au Japon
Ta pizza vient d'Italie
Ton couscous vient d'Algérie
Tes chiffres viennent d'Arabie
Et ton café du Brésil
Tu vas en vacances en Espagne
au Maroc ou aux États-Unis,
Alors, avec tout ça, impossible
d'être raciste!

a b c d e f g

Voyage aux Antilles

<u>Refrain</u>
Je suis allée aux Antilles
Chapeau de paille et espadrilles.
Je suis allée aux Antilles
Couleur café, parfum vanille.

Je suis partie en juillet
J'ai acheté mon billet
Un billet aller-retour
Je suis restée quinze jours.
<u>Refrain</u>

J'ai pris l'avion à Marseille
Ciel tout gris, pas de soleil
Je suis arrivée aux Antilles
Là, toujours le soleil brille.
<u>Refrain</u>

Je suis montée en montagne
J'ai campé à la campagne
J'ai mangé du chou coco
J'ai dansé le calypso.
<u>Refrain</u>

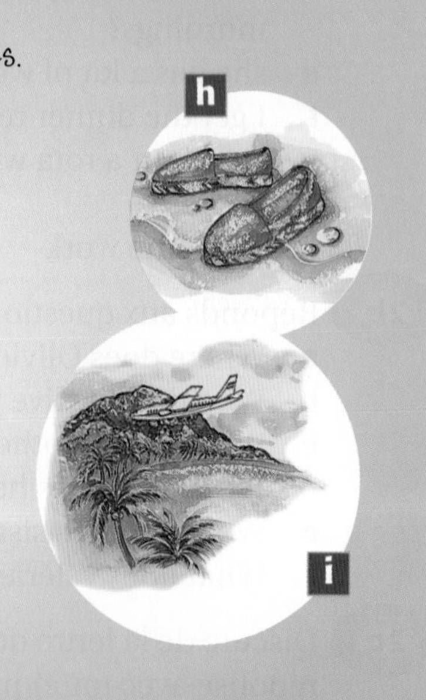

un chapeau de paille = straw hat
des espadrilles = rope-soled canvas sho
un billet aller-retour = return ticket
le chou coco = heart of the palm tre
le calypso = West Indian dance or so

LIRE **1a** Écoute et lis le texte "La Ronde des pays" (p.128). Numérote les dessins dans l'ordre.
Read the text and number the illustrations in the order they are mentioned.

ÉCRIRE **1b** Fais la liste des pays mentionnés. Attention, masculin ou féminin? Vérifie dans un dictionnaire.
Make a list of all the countries named. Are they masculine or feminine? Check in the glossary (p.150) or a dictionary.
Exemple la Suisse

1c Explique la dernière ligne du poème en anglais.
Explain the last line of the poem in English.

ÉCOUTER **2a** Écoute la chanson: "Voyage aux Antilles"(p.128). Mets les dessins dans l'ordre.
Listen to the song. Number the drawings in the order they're mentioned.

PARLER **2b** A pose les questions des Expressions-clés, p.70. B répond avec les mots de la chanson.
Exemple A: Tu es allé(e) où?
B: Je suis allé(e) aux Antilles!

Ça se dit comme ça!

1 Listen and repeat.
-ille: Antil**les** espadri**lle** vani**lle** bri**lle**
-eil(le): Mars**eille** sol**eil**
-agne: mont**agne** camp**agne**

2 Now read these phrases out loud! Listen to check.
a L'Espagne et l'Allemagne.
b Camille, la fille de la famille, aime la vanille des Antilles.
c Les abeilles sommeillent au soleil.

Vacances en Europe

Les Européens vont où en vacances?
La destination préférée des Européens, c'est la France! 92% des Luxembourgeois sont déjà montés sur la Tour Eiffel!
La destination préférée des Français (après la France!), c'est l'Espagne: 4 Français sur 10 vont en Espagne régulièrement.

Ils voyagent comment?
68% des Européens partent en vacances en voiture. Seulement 13% prennent l'avion (ce sont surtout des Britanniques) et 14% prennent le train. Alors, cela explique les bouchons!

un bouchon = traffic jam

LIRE **3** Lis "Vacances en Europe". Choisis la bonne option.
Read the article and choose the correct option.

1. Les Européens préfèrent aller en vacances
   a en France **b** en Espagne.
2. 92% des Luxembourgeois sont allés
   a en France **b** sur la Tour Eiffel.
3. La majorité des Français préfèrent passer les vacances
   a en France **b** en Espagne.
4. **a** Plus de 50% **b** Moins de 50% des Français vont en Espagne régulièrement.
5. **a** Une majorité **b** Une minorité d'Européens vont en vacances en voiture.
6. Après la voiture, les Européens préfèrent prendre
   a l'avion **b** le train.

6 Point lecture

Un musée très populaire à Paris
Le musée d'Orsay

Description
Connu dans le monde entier pour sa riche collection d'art impressionniste, le musée d'Orsay est aussi le musée de toute la création artistique du monde occidental de 1848 à 1914. Ses collections représentent toutes les formes d'expression, de la peinture à l'architecture, en passant par la sculpture, les arts décoratifs, la photographie.

Nouveauté
Un nouvel espace d'accueil et une nouvelle librairie ont été ouverts le 1er avril 2004. Plus vaste, plus clair, cet espace permet de mieux recevoir les visiteurs du musée en réduisant au mieux les files d'attente.

Tarifs
Gratuité pour tous le 1er dimanche de chaque mois.
Gratuit Jeunes et enfants: – 18 ans
Plein tarif: 7 euros
Tarif réduit: 5 euros. Tarif réduit appliqué tous les jours aux 18–25 ans et à tous le dimanche.

Ouvertures/Horaires
Ouvert:
mardi, mercredi, jeudi, vendredi, samedi, dimanche
sauf les 1er janvier, 1er mai et 25 décembre
Horaires
Été: du mardi au dimanche 9h – 18h.
Hiver: du mardi au samedi 10h – 18h; dimanche 9h – 18h.

Fermeture de caisses
Dernière admission 1/2h avant la fermeture du musée.

Nocturne
Nocturne le jeudi jusqu'à 21 h 15.

J'adore ce musée! Je suis une fan des impressionnistes, surtout de Monet. Il y a un bon magasin au musée où on peut acheter des cartes postales, des posters et des livres.

Jérôme

Nous allons souvent au musée d'Orsay le premier dimanche du mois parce que c'est gratuit.

Aline

J'aime le musée. Un musée dans une ancienne gare, c'est intéressant. Même s'il n'y a pas de trains … En plus, on mange bien au café-restaurant.

LIRE 1a Lis les informations. Vrai ou faux?

- **a** Le musée d'Orsay est un musée de transports.
- **b** Le musée est ouvert jusqu'à 21 h 15 tous les jours.
- **c** Le musée est fermé le lundi.
- **d** Un billet pour le musée coûte 7 euros pour un enfant.
- **e** L'entrée au musée est gratuite le samedi.
- **f** Le musée est situé dans une vieille gare.

ÉCRIRE 1b Corrige les phrases fausses.
Correct the sentences that are false.

LIRE 1c Qui …..

- **a** aime acheter des souvenirs au musée?
- **b** va souvent au musée le week-end?
- **c** déjeune au musée?
- **d** aime les peintures impressionnistes?

Tu voudrais visiter le musée d'Orsay? Pourquoi?
Would you like to visit the Orsay Museum? Write a few sentences saying why.

Une visite en France

Chaque année, beaucoup de touristes viennent passer leurs vacances en France. Pourquoi? Parce que la France est un pays très varié. Il y a des villes intéressantes, des montagnes superbes, de jolies plages, des forêts, des lacs ....

Venez en France pour les vacances! Il y en a pour tout le monde et pour tous les goûts!

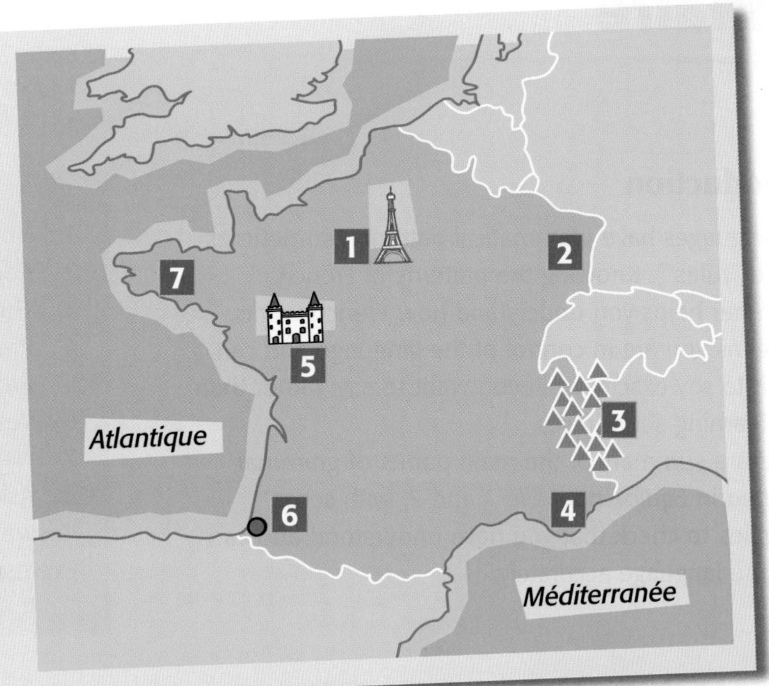

J'ai passé des vacances géniales en Alsace, dans l'est de la France. Notre hôtel était à Strasbourg et j'adore la ville – c'est une ville internationale et très dynamique!
Camille

Moi, je suis allé à la capitale en juillet et j'ai visité la Tour Eiffel. Le 14 juillet, le jour de la Fête Nationale, j'ai vu un feu d'artifice impressionnant. C'était génial!
Julien

Mon passe-temps préféré, c'est le ski. Alors, je vais chaque année dans les Alpes. L'année dernière, on a trouvé un hôtel fantastique à Val d'Isère. C'était super!
Sarah

L'été dernier, j'ai passé une semaine dans la vallée de la Loire. J'ai fait des excursions en car. C'était fatigant, mais j'ai bien aimé les châteaux, surtout ceux de Chambord et de Chenonceaux.
Paul

Moi, j'adore le soleil! J'ai passé mes dernières vacances sur les bords de la Méditerranée, dans le sud de la France. L'hôtel était à Cannes, une ville très chic! Malheureusement, c'était aussi un peu cher. Je suis allée à la plage tous les jours!
Marion

J'ai deux petits frères qui adorent la plage et moi, j'adore faire du surf. Alors, nous avons choisi une région idéale dans le sud-ouest de la France, l'Aquitaine. Le dernier jour, nous avons visité la ville de Biarritz pour acheter des souvenirs. Moi, j'ai acheté un tee-shirt jaune. C'était super!
Julie

L'année dernière, je suis allé voir mon correspondant en Bretagne. Il habite près de Concarneau, au bord de la mer, et nous avons mangé du poisson et des fruits de mer tous les jours. J'aime aussi les galettes de la région!
Benoît

LIRE **2a** **Lis les textes. Où sont-ils allés en France?**
Read the texts. Where in France did they go?
Exemple Marion: 4

ÉCRIRE **2b** **Qui a passé les vacances les plus intéressantes, à ton avis? Pourquoi?**
Who had the most interesting holiday, in your opinion? Why?
Exemple À mon avis, Sarah a passé les vacances les plus intéressantes parce que, moi aussi, j'adore faire du ski. L'année dernière, j'ai fait du ski en Écosse, mais je voudrais faire du ski dans les Alpes!

Grammaire

Introduction

All languages have grammatical patterns (sometimes called "rules"). Knowing the patterns of French grammar helps you understand how French works. It means you are in control of the language and can use it to say exactly what you want to say, rather than just learning set phrases.
Here is a summary of the main points of grammar covered in *Équipe nouvelle 1* and *2*, with some activities to check that you have understood and can use the language accurately.

Glossary of terms

noun *un nom*
a person, animal, place or thing
***Arnaud** achète du **pain** au **supermarché**.*

determiner *un déterminant*
goes before a noun to introduce it
***le** chien, **un** chat, **du** jambon, **mon** frère*

singular *le singulier*
one of something
***Le chien** mange **un biscuit**.*

plural *le pluriel*
more than one of something
***Les filles** font du football.*

pronoun *un pronom*
a short word used instead of a noun or name
***Il** mange un biscuit. **Elles** font du football.*

verb *un verbe*
a "doing" or "being" word
*Je **parle** anglais. Il **est** blond. On **va** à la piscine. Nous **faisons** de la natation.*

adjective *un adjectif*
a word which describes a noun
*Ton frère est **sympa**. C'est un appartement **moderne**.*

preposition *une préposition*
describes position: where something is
*Mon sac est **sur** mon lit. J'habite **à** Paris.*

1 Nouns and determiners *les noms et les déterminants*

Nouns are the words we use to name people, animals, places or things. They often have a small word, or determiner, in front of them (in English: *a, the, this, my, his,* etc.).

1.1 Masculine or feminine?

All French nouns are either masculine or feminine. To tell if a noun is masculine or feminine, look at the determiner – the word in front:

	Masculine words	Feminine words
a or *an*	un	une
the	le	la

un *sport,* ***le*** *nez* = masculine
une *question,* ***la*** *tête* = feminine

Important! When you meet a new noun, learn whether it is masculine or feminine.

Learn	*une pomme*	✓
not	*pomme*	✗

Nouns that end in a consonant are usually masculine.

1.2 Singular or plural?

Most French nouns add *-s* to make them plural, just as in English:

la jambe → *les jambe**s***

In French the *-s* at the end of the word is not usually pronounced.

Some nouns do not follow this regular pattern:

- nouns ending in *-s*, *-x* or *-z* usually stay the same:
  le bras → *les bras*
  le nez → *les nez*
- nouns ending in *-eau* or *-eu* add *-x*:
  un chapeau → *des chapeaux*
  un cheveu → *des cheveux*
- nouns ending in *-al* usually change to *-aux*:
  un animal → *des animaux*
- a few nouns change completely:
  un œil → *des yeux*

In front of plural nouns, the determiners (the words for *a* and *the*) change:

un/une → *des*　　*le/la* → *les*

Natacha mange ***une*** *banane.*
Natacha mange ***des*** *bananes.*
Le *professeur a mal à la tête.*
Les *professeurs ont mal à la tête.*

1.3 de + noun

	singular	plural
masculine words	du (*or* de l')	des
feminine words	de la (*or* de l')	des

Use *du, de la, de l'* or *des* + noun to say *some* or *any*.

On a mangé ***des*** *croissants avec* ***de la*** *confiture.*
We ate **some** croissants with jam.
Tu as ***du*** *chocolat?*
Have you got **any** chocolate?

Note: In English, you can often leave out the word *some* or *any*. In French it can never be left out:

On a bu ***de l'eau****.*
We drank **some water**./We drank **water**.

(For how to say *any* in a negative sentence, see section 7.2.)

2 Adjectives *les adjectifs*

Adjectives are the words we use to describe nouns.

2.1 Form of adjectives

In English, whatever you are describing, the adjective stays exactly the same. In French, the adjective changes to match the word it is describing. Like the noun, it must be either masculine or feminine, singular or plural.

To show this, there are special adjective endings:

	singular	plural
masculine words	add nothing	add *-s*
feminine words	add *-e*	add *-es*

mon père est petit	*mes frères sont petit**s***
*ma mère est petit**e***	*mes sœurs sont petit**es***

Some adjectives do not follow this regular pattern.
For example:

- Adjectives ending in *-s* don't add another in the masculine plural (but they do add *-es* in the feminine plural):
  un pantalon gris
  les cheveux gris *les chaussettes gris**es***
- Adjectives that end in *-e* don't add another in the feminine (but they do add *-s* in the plural):
  un frère calme → *une sœur calme*
  *des enfants calme**s***
- Adjectives ending in *-eur* or *-eux* usually change to *-euse* in the feminine:
  un frère travailleur → *une sœur travaill**euse***
  un frère courageux → *une sœur courag**euse***
- A very few adjectives stay the same whether they are masculine or feminine, singular or plural:
  un cousin sympa, une cousine sympa, des cousins sympa
  le foot est super, la France est super, les chevaux sont super
- Some adjectives have their own pattern:

singular		plural	
masc.	fem.	masc./mixed	fem.
blanc	blanche	blancs	blanches
bon	bonne	bons	bonnes
gros	grosse	gros	grosses
violet	violette	violets	violettes
beau*	belle	beaux	belles
nouveau*	nouvelle	nouveaux	nouvelles
vieux*	vieille	vieux	vieilles

* become *bel*, *nouvel*, *vieil* before a masculine noun that starts with a vowel, e.g. *le nouvel an*

A Recopie les phrases. Écris la bonne forme de l'adjectif.

1 C'est une *** maison. (vieux)
2 Martin a acheté de *** chaussures. (beau)
3 Les nouvelles ne sont pas ***. (bon)
4 C'est un *** problème. (gros)
5 J'ai vu son *** appartement. (nouveau)
6 Les animaux sont ***. (beau)

2.2 Position of adjectives

In English, **adjectives** always come before the noun they describe:
a **red** sweatshirt, a **modern** kitchen, **nice** friends.

In French, **adjectives** usually come after the noun:
*un sweat **rouge**, une cuisine **moderne**, des copains **sympa**.*

Some adjectives break this rule of position. The following come before the noun:

grand	*petit*	*gros*
nouveau	*jeune*	*vieux*
beau	*bon*	*mauvais*

*un **nouveau** jean* *la **jeune** fille* *de **bonnes** idées*

B Trouve la bonne forme et position pour les adjectifs. Fais des phrases comme dans l'exemple.
Exemple *Elle habite une maison. (beau)*
*= Elle habite une **belle** maison.*

1 J'ai deux cousins. (canadien)
2 Tu as ta robe? (vert)
3 Elles ont une voiture. (petit)
4 Il sort avec une copine. (anglais)
5 J'ai fait un gâteau. (gros)
6 C'est un collège? (bon)
7 C'est une question. (intelligent)
8 Je mets mon jean. (vieux)

2.3 Comparatives

To compare one thing with another, add *plus* before an adjective (to mean *more*).
The adjective must agree with the noun as usual.

*Mon frère est **plus** sportif.*
My brother is **more** sporty.
*Les chaussures sont **plus** chères ici.*
The shoes are **more** expensive here.

Use *moins* before the adjective to mean *less*, when comparing two people or things.
*Il est **moins** intelligent que moi.*
He is **less** intelligent than me.

3 The possessive
la possession

3.1 The possessive of nouns

Use noun + *de* + noun to show who (or what) things belong to:

les baskets ***de Matthieu***	**Matthieu's** trainers
les questions ***des élèves***	**the pupils'** questions

3.2 Possessive adjectives

These adjectives show who or what something belongs to (***my*** *bag*, ***your*** *CD*, ***his*** *brother*). They come before the noun they describe, in place of *un/une/des* or *le/la/les*, for example.

Like all adjectives, they match the noun they describe:

	singular		plural
	masculine	feminine*	masculine or feminine
my	mon	ma	mes
your	ton	ta	tes
his/her	son	sa	ses

*Before a feminine noun that begins with a vowel, use *mon, ton, son (mon imagination, ton amie, son opinion)*.

Ma *sœur déteste* ***ton*** *frère.*
My sister hates **your** brother.
Il parle avec ***sa*** *grand-mère.*
He is talking to **his** grandmother.

The words for *his* and *her* are the same (either *son*, *sa* or *ses*, depending on the word that follows).

Natacha adore ***son*** *chien.*	Natacha loves **her** dog.
Arnaud adore ***son*** *chien.*	Arnaud loves **his** dog.

A Ça se dit comment en français?

1. My sister likes music.
2. Your father is Irish.
3. My grandparents live in France.
4. Anne has her white T-shirt.
5. My brother is twelve; his birthday is in January.
6. My mother has my red shoes.
7. My cousin Zoé lives with her parents.
8. Your trainers are with your jeans.

4 Prepositions
les prépositions

These are usually little words which tell you the position of something:

4.1 à

- *à* combines with *le* or *les* in front of the noun to form a completely new word:
  à + le → *au*
  à + les → *aux*

singular		plural
masculine	feminine	masculine or feminine
au	à la	aux

- Time
  Use *à* to say *at* a time:
  J'ai français ***à*** *quatre heures.*
  I have French **at** four o'clock.
- Places
  Use *à* to say *at*, *in* or *to* a place, combining it with the determiner before masculine or plural words:
  J'habite ***à*** *Paris.*
  I live **in** Paris.
  Je vais ***à la*** *piscine.*
  I am going **to the** swimming pool.
  Il est ***au*** *cinéma.*
  He's **at the** cinema.
- Parts of the body that hurt
  Use *à* in front of the part of the body, combining it with the determiner before masculine or plural words:

J'ai mal ***à la*** *tête.*	I've got a headache.
Max a mal ***au*** *dos.*	Max has backache.
Tu as mal ***aux*** *dents?*	Have you got toothache?

A Explique où il a mal.
Exemple *Il a mal **au** pied …*

B Fais des phrases avec *à*, *en* ou *au*.
Exemple *Je vais *** (la France) *** (le bateau) = Je vais en France en bateau.*

1 Il va *** (l'Italie) *** (le vélo).
2 Mes parents vont *** (le pays de Galles) *** (le train).
3 Tu vas *** (l'Écosse) *** (la voiture)?
4 J'aimerais bien aller *** (l'Angleterre) *** (le car).
5 Je suis allé *** (le Canada) *** (le bus) et *** (l'avion).

4.2 en

- Places

  In French, most names of countries are feminine. To say *in* or *to* these countries, use the word *en*:

*Vous allez **en** France?*	Are you going **to** France?
*J'habite **en** Écosse.*	I live **in** Scotland.

  But: For masculine names of countries, use *au*, and *aux* for plural names (see 4.1).
  *Cardiff est **au** pays de Galles.*
  Cardiff is **in** Wales.
  *Ma cousine va **aux** États-Unis.*
  My cousin's going **to the** United States.

  en ville = in or to town

- Means of transport

  Use *en* + name of means of transport to say how you travel:

***en** train*	**by** train
***en** bus*	**by** bus
***en** voiture*	**by** car
***en** avion*	**by** plane

  But: For walking or a two-wheeled vehicle, use ***à*** + means of transport (without a determiner):

*Il va **à** pied.*	He is walking.
*Elle va **à** vélo.*	She is going **by** bike.
*Nous allons **à** mobylette.*	We are going **by** moped.

5 Pronouns
les pronoms

A pronoun is a small word used instead of a noun or name. It helps to avoid repetition. For example:
My cat is called Tigger. **He** sleeps in a box.

5.1 Subject pronouns

The subject of a verb tells you who or what is doing the action of the verb. It is usually a noun, but sometimes it is a pronoun. In English, we use the following subject pronouns:

I you he she it we they

I'm learning French. Are **you**?
Annie is learning Italian. **She** loves it.

The French subject pronouns are:

I	=	*je*	
		j'	in front of a vowel or a silent h: *j'aime/j'habite*
you	=	*tu*	to a child, a friend or a relative
		vous	to an adult you are not related to, or more than one person
he	=	*il*	for a boy or man
she	=	*elle*	for a girl or woman
it	=	*il*	if the noun it refers to is masculine
		elle	if the noun it refers to is feminine

we = nous / on — used more than *nous* in conversation.

Use *on* when speaking or writing to friends.
Use *nous* when writing more "official" texts.

they =
- *ils* — for a masculine plural; for a mixed group (masculine + feminine)
- *elles* — for a feminine plural
- *on* — for people in general

- *On*
  On can mean *you*, *we*, *they* or *one*. It is followed by the form of the verb that follows *il* or *elle*:
  *Chez moi, **on parle** arabe.*
  At home **we speak** Arabic.
  *Au Québec, **on parle** français.*
  In Quebec, **they speak** French.
  *On **a parlé** au téléphone.*
  We spoke on the telephone.
  *On **est allés*** au cinéma.*
  We went to the cinema.

* When *on* means a group of people, verbs that form the *passé composé* with *être* can add *-s* to the past participle after *on* (*-es* if *on* refers to an all-female group).

5.2 moi/toi

- To stress who is doing the action, put the pronoun *moi* in front of the subject pronoun *je*, or *toi* in front of *tu*:
  ***Toi**, tu vas où? **Moi**, je vais au club.*
  Where are ***you*** going? ***I***'m going to the club.
- *Et toi?* is useful to ask questions simply.
  Je suis français. Et toi?
  I'm French. What about you?
- *Moi/Toi* can be used as one-word answers to questions:
  *Qui veut aller au cinéma? **Moi**!*
  Who wants to go to the cinema? **Me**!
  *Qui a gagné? **Toi**!*
  Who won? **You**!
- Use *moi/toi* after prepositions like *devant*, *derrière*, *chez* and *avec*:
  *Tu arrives chez **toi** à quelle heure?*
  What time are you getting home?
  *Tu vas à la pêche avec **moi**?*
  Are you going fishing with **me**?

6 Verbs
les verbes

Verbs are words that describe what is happening. If you can put *to* in front of a word or *-ing* at the end, it is probably a verb.*

listen – to listen ✓ = a verb
try – to try ✓ = verb
desk – to desk ✗ = not a verb
happy – to happy ✗ = not a verb

* Some words can be nouns as well as verbs, such as "to drink" (verb) and "a drink" (noun).

6.1 The infinitive

Verbs take different forms:
I **do** the dishes every day. Alan **does** too, but you **don't**.

You won't find all the forms of a verb listed in a dictionary. For example, you won't find *does* or *don't*. You have to look up the infinitive, ***do***.
Infinitives in French are easy to recognize as they normally end with either *-er*, *-re* or *-ir*. For example: *regarder*, *prendre*, *choisir*.

6.2 The present tense

The tense indicates when an action takes place. A verb in the present tense describes an action which is taking place now or takes place regularly.

There are two present tenses in English:
I **am eating** an apple (now).
I **eat** an apple (every day).

There is only one present tense in French:
Je mange une pomme (maintenant).
Je mange une pomme (tous les jours).

6.3 Present tense verb endings

To describe an action, you need a subject (the person or thing doing the action) and a verb.

In English, the ending of the verb changes according to who the subject is:

You eat/She eat**s** We speak/He speak**s**

Verb endings change in French too, for the same reason.

6.4 Regular verbs in the present tense

Most French verbs follow the same pattern. They have regular endings.
Typical endings for verbs that end in *-er*, like *aimer*, in the present tense are:

j' tu il/elle/on	aim**e** aim**es** aim**e**	nous vous ils/elles	aim**ons** aim**ez** aim**ent**

Some other verbs which follow the same pattern are:

adorer to love/really like
aimer to like
arriver to arrive
danser to dance
détester to hate
discuter to discuss/talk
écouter to listen
fermer to close
jouer to play
*manger** to eat
*nager** to swim
parler to speak
*ranger** to tidy
regarder to watch
tourner to turn

* but: *nous mangeons, nageons, rangeons*

Typical endings for verbs that end in *-ir*, like *choisir* (to choose), in the present tense are:

je tu il/elle/on	chois**is** chois**is** chois**it**	nous vous ils/elles	chois**issons** chois**issez** chois**issent**

Some other verbs which follow the same pattern are:

finir to finish
remplir to fill

Typical endings for verbs that end in *-re*, like *vendre* (to sell), in the present tense are:

je tu il/elle/on	vend**s** vend**s** vend	nous vous ils/elles	vend**ons** vend**ez** vend**ent**

Some other verbs which follow the same pattern are:

descendre to wait
répondre to answer

A Recopie et complète les phrases avec la bonne forme du verbe.

1. J'*** (habiter) à Dieppe, mais mes grands-parents *** (habiter) à Paris.
2. Elle *** (aimer) le tennis, mais elle *** (détester) le football.
3. Ils *** (vendre) des pulls et des sweats.
4. Vous *** (participer) au festival?
5. Nous *** (préférer) les pantalons larges.
6. On *** (adorer) le look sport.
7. Tu *** (choisir) le tee-shirt bleu?
8. Mon père *** (descendre), mais nous *** (rester) dans le bus.

6.5 Irregular verbs in the present tense

Some verbs do not follow this regular pattern.
They are irregular verbs. Try to learn them by heart.

Infinitive	Present	English
avoir *(to have)*	j'ai	*I have*
	tu as	*you have (to a friend, child or relative)*
	il/elle a	*he/she/it has*
	on a	*we/they have*
	nous avons	*we have*
	vous avez	*you have (to an adult or group of people)*
	ils/elles ont	*they have*
être *(to be)*	je suis	*I am*
	tu es	*you are (to a friend, child or relative)*
	il/elle est	*he/she/it is*
	on est	*we/they are*
	nous sommes	*we are*
	vous êtes	*you are (to an adult or group of people)*
	ils/elles sont	*they are*

Infinitive	Present	English
acheter *(to buy)*	j'achète	*I buy*
	tu achètes	*you buy (to a friend, child or relative)*
	il/elle achète	*he/she/it buys*
	on achète	*we/they buy*
	nous achetons	*we buy*
	vous achetez	*you buy (to an adult or group of people)*
	ils/elles achètent	*they buy*
aller *(to go)*	je vais	*I go*
	tu vas	*you go (to a friend, child or relative)*
	il/elle va	*he/she/it goes*
	on va	*we/they go*
	nous allons	*we go*
	vous allez	*you go (to an adult or group of people)*
	ils/elles vont	*they go*
boire *(to drink)*	je bois	*I drink*
	tu bois	*you drink (to a friend, child or relative)*
	il/elle boit	*he/she/it drinks*
	on boit	*we/they drink*
	nous buvons	*we drink*
	vous buvez	*you drink (to an adult or group of people)*
	ils/elles boivent	*they drink*

Infinitive	Present	English
devoir (*to have to/must*)	je dois tu dois il/elle doit on doit nous devons vous devez ils/elles doivent	*I must* *you must (to a friend, child or relative)* *he/she/it must* *we/they must* *we must* *you must (to an adult or group of people)* *they must*
faire (*to do/make*)	je fais tu fais il/elle fait on fait nous faisons vous faites ils/elles font	*I make/do* *you make/do (to a friend, child or relative)* *he/she/it makes/does* *we/they make/do* *we make/do* *you make/do (to an adult or group of people)* *they make/do*
se lever (*to get up*)	je me lève tu te lèves il/elle se lève on se lève nous nous levons vous vous levez ils/elles se lèvent	*I get up* *you get up (to a friend, child or relative)* *he/she/it gets up* *we/they get up* *we get up* *you get up (to an adult or group of people)* *they get up*
mettre (*to put on/wear*)	je mets tu mets il/elle met on met nous mettons vous mettez ils/elles mettent	*I put (on)* *you put (on) (to a friend, child or relative)* *he/she/it puts (on)* *we/they put (on)* *we put (on)* *you put (on) (to an adult or group of people)* *they put (on)*
pouvoir (*to be able to/can*)	je peux tu peux il/elle peut on peut nous pouvons vous pouvez ils/elles peuvent	*I can* *you can (to a friend, child or relative)* *he/she/it can* *we/they can* *we can* *you can (to an adult or group of people)* *they can*
préférer (*to prefer*)	je préfère tu préfères il/elle préfère on préfère nous préférons vous préférez ils/elles préfèrent	*I prefer* *you prefer (to a friend, child or relative)* *he/she/it prefers* *we/they prefer* *we prefer* *you prefer (to an adult or group of people)* *they prefer*

Infinitive	Present	English
prendre (*to take*)	je prends tu prends il/elle prend on prend nous prenons vous prenez ils/elles prennent	*I take* *you take (to a friend, child or relative)* *he/she/it takes* *we/they take* *we take* *you take (to an adult or group of people)* *they take*
venir (*to come*)	je viens tu viens il/elle vient on vient nous venons vous venez ils/elles viennent	*I come* *you come (to a friend, child or relative)* *he/she/it comes* *we/they come* *we come* *you come (to an adult or group of people)* *they come*
vouloir (*to want*)	je veux tu veux il/elle veut on veut nous voulons vous voulez ils/elles veulent	*I want* *you want (to a friend, child or relative)* *he/she/it wants* *we/they want* *we want* *you want (to an adult or group of people)* *they want*

B Trouve la bonne forme d'*avoir* ou d'*être*.

1 Arnaud *** un demi-frère.
2 J'*** un chien et un chat.
3 Vous *** anglais ou américains?
4 On *** assez travailleurs.
5 Tu *** quel âge?
6 Max *** grand et blond.
7 Les profs *** sympa.
8 Vous *** un pantalon noir?
9 Je *** français, mais mes grands-parents *** marocains.
10 Je *** brune. Et toi, tu *** comment?

C Choisis la bonne forme, a ou b.
Choose the right form of the verb to complete the sentences.

1 Je **a** mets **b** mettons mes bottes noires.
2 Vous **a** mettent **b** mettez un jean?
3 On **a** dois **b** doit prendre un bon petit déjeuner.
4 Juliette **a** buvent **b** boit un verre d'eau.
5 Qui **a** veut **b** veux regarder la télé?
6 Ils ne **a** peuvent **b** peut pas venir avec moi.
7 Nous **a** vont **b** allons au collège en France.
8 Toi, tu **a** faites **b** fais des exercices tous les jours.

6.6 The perfect tense

A verb in the perfect tense (*passé composé*) describes an action which happened in the past. There are several ways to translate the *passé composé* in English:

***J'ai regardé** la télé.*
I watched TV. *or* **I have watched** TV.

For the *passé composé*, you need two parts: the present tense of *avoir* or *être* + the past participle of the main verb. See 6.7, 6.8, 6.9.

6.7 The past participle

To form the past participle, take the infinitive of the verb and change the ending:

- infinitives ending in *-er*: past participle ends in *-é*
  manger → *mangé* *parler* → *parlé*
- infinitives ending in *-ir*: past participle ends in *-i*
  choisir → *choisi* *sortir* → *sorti*
- infinitives ending in *-re*: past participle ends in *-u*
  descendre → *descendu* *vendre* → *vendu*

Learn by heart these exceptions to the rule:

avoir → ***eu*** *être* → ***été***
écrire → ***écrit*** *faire* → ***fait***
voir → ***vu*** *boire* → ***bu***
lire → ***lu*** *venir* → ***venu***
mettre → ***mis*** *prendre* → ***pris***
pouvoir → ***pu*** *devoir* → ***dû***
vouloir → ***voulu***

D Recopie et complète ces phrases avec les participes passés.
Copy and complete these sentences with the correct past participles.

Pour mon anniversaire, on a (1 faire) une grande fête: j'ai (2 écrire) des invitations à tous mes copains.
On a (3 mettre) de beaux vêtements, on a (4 danser) et on a (5 boire) du punch. J'ai (6 avoir) beaucoup de cadeaux et mon frère a (7 prendre) des photos. Tout le monde a (8 être) très sympa.

6.8 avoir + past participle

Most verbs form the perfect tense with part of *avoir*:

present	*passé composé*		
		avoir	past participle
je regarde	j'	ai	regardé
tu regardes	tu	as	regardé
il regarde	il	a	regardé
elle regarde	elle	a	regardé
on regarde	on	a	regardé
nous regardons	nous	avons	regardé
vous regardez	vous	avez	regardé
ils regardent	ils	ont	regardé
elles regardent	elles	ont	regardé

E Écris le journal de Julie au passé.
Rewrite Julie's diary in the perfect tense.

Aujourd'hui, je prends un bon petit déjeuner, mais après je mange des bonbons et je bois des sodas, alors j'ai mal au ventre.
Je fais de l'exercice: je marche 30 minutes ce soir, mais après je surfe sur Internet, je joue sur ma console et ma grand-mère et moi, on regarde la télé.

6.9 être + past participle

Some verbs form their *passé composé* with *être*, not *avoir*. They are mostly verbs that indicate movement from one place to another. You will need to learn by heart which they are.

Try learning them in pairs:

arriver/partir to arrive/to leave
aller/venir to go/to come
entrer/sortir to go in/to go out
monter/descendre to go up/to go down
rentrer/retourner to go home/to go back to
tomber/rester to fall/to stay

- The ending of the past participle changes when it comes after *être* in the *passé composé*. It agrees with the subject of the verb (masculine/feminine, singular/plural).

*Je suis **allé** en France.*
*(Il est **allé** en France.)*

*Je suis **allée** en France.*
*(Elle est **allée** en France.)*

*Vous êtes **allés** en France?*
*Oui, nous sommes **allés** en France.*
*On est **allés** en France.*
*(Ils sont **allés** en France.)*

*Vous êtes **allées** en France?*
*Oui, nous sommes **allées** en France.*
*On est **allées** en France.*
*(Elles sont **allées** en France.)*

F Recopie. Accorde le participe passé.
Write out these sentences, adding an ending to the past participle if needed.

1 Ma mère est parti*** habiter à Paris.
2 Natacha et Juliette sont resté*** à Dieppe.
3 Mon frère est tombé*** de son vélo.
4 Arnaud et Matthieu sont allé*** à l'hôpital.
5 Mes parents sont allé*** au café et ils sont rentré*** à dix heures.
6 Anne est venu*** chez moi, mais Paul est resté*** au club.

G *Avoir* ou *être*? Choisis la bonne forme pour chaque phrase.

1 Juliette *** organisé une boum.
2 Natacha *** arrivée en retard.
3 On *** mangé des chips.
4 Matthieu et Arnaud *** bu des sodas.
5 Ils *** allés au collège en bus.
6 Tu *** vu ma chemise blanche?
7 Vous *** partis quand?
8 Je *** rentré hier soir.

6.10 c'était + adjective

To say how things were in the past, use *c'était* + an adjective:

C'était génial!	It was great!
C'était nul!	It was terrible!

6.11 Reflexive verbs

Reflexive verbs need a pronoun between the subject and the verb.

subject	pronoun	verb	
Je	***me***	*lève*	(I get myself up) I get up.
Je	***m'***	*habille*	(I dress myself) I get dressed.

Some common reflexive verbs: *se laver, se brosser les dents, se réveiller, s'amuser, s'ennuyer, se coucher, se reposer*

- The pronoun changes according to the subject it goes with:

je	+ ***me/m'***	*nous*	+ ***nous***
tu	+ ***te/t'***	*vous*	+ ***vous***
il/elle/on	+ **se/s'**	*ils/elles*	+ **se/s'**

(See also 7.3.)

H Recopie et complète le poème.
Write out the poem, adding in the correct reflexive pronouns.

À quelle heure tu *** réveilles?
Je *** réveille avec le soleil!
Quand il *** lève, je *** lève aussi.
Quand les étoiles ***amusent avec la lune,
le soleil *** repose et, derrière les dunes,
il *** couche et je *** couche aussi.
Quand les étoiles et la lune ***en vont,
toi et moi, nous *** levons
et le soleil *** lève aussi.
Je *** lave comme lui
avec de l'eau de pluie
et quand il brille, moi, je ***'habille!

6.12 The imperative

The imperative is the form of the verb you use to give someone an order, an instruction or advice:
Eat! Go to bed. Turn left.

When giving an instruction to:

- someone you say *tu* to: use the *tu* form of the verb, without the *tu* (and no final *-s* for *-er* verbs)
- someone you say *vous* to (or more than one person): use the *vous* form of the verb, without the *vous*

tu		vous
Mange!	*Eat!*	Mangez!
Tourne à gauche!	*Turn left!*	Tournez à gauche!
Fais du sport!	*Do some sport!*	Faites du sport!
Va au lit.	*Go to bed.*	Allez au lit.
Bois de l'eau.	*Drink water.*	Buvez de l'eau.

To tell someone not to do something, see 7.5.

1 Transforme les questions pour faire des conseils.
Adapt the questions to write advice for a healthy lifestyle.

Exemple *Tu manges des fruits?*
= Mange des fruits!

1. Tu bois de l'eau?
2. Vous faites du sport?
3. Tu vas à la piscine?
4. Tu prends un bon petit déjeuner?
5. Vous mangez des légumes?
6. Vous allez au collège à pied?
7. Tu manges du poisson?

6.13 Verb + infinitive

Sometimes there are two verbs next to each other in a sentence. In French, the form of **the first verb depends on the subject**, and the second verb is in the infinitive.

J'aime *aller au cinéma.* I like going to the cinema.
Tu dois *faire tes devoirs.* You must do your homework.
On préfère *lire ce livre.* We prefer to read this book.
Il va *manger une pomme.* He's going to eat an apple.

- *aller* + infinitive – talking about the future
  Use the present tense of the verb *aller* followed by an infinitive to talk about something that is going to happen in the near future:
  Je vais retrouver *Juliette à six heures.*
  I'm going to meet Juliette at six o'clock.
  Ils vont manger *au restaurant ce soir.*
  They are going to eat at the restaurant this evening.

- *devoir, pouvoir, vouloir*

These verbs are nearly always followed by the infinitive of another verb.

devoir – to have to (I must)
Elle doit *se coucher.*
She has to go to bed.
Vous devez *manger des légumes.*
You must eat vegetables.

pouvoir – to be able to (I can)
On peut *se retrouver demain?*
Can we meet tomorrow ?
Je peux *venir chez toi.*
I can come to your house.

vouloir – to want
Tu veux *rester à la maison?*
Do you want to stay at home?
Ils veulent *écouter des CD.*
They want to listen to CDs.

See the full pattern of these verbs on pages 140–141.

6.14 jouer à/jouer de

To talk about playing games or sport, use *jouer* ***à***:
J'aime jouer ***au*** *football.* I like playing football.

To talk about playing a musical instrument, use *jouer* ***de***:
Je joue ***de la*** *guitare.* I play the guitar.

Remember:

à + le = **au**	de + le = **du**
à + les = **aux**	de + les = **des**

J Recopie et complète avec *du, de la, des, au, à la* ou *aux*.

Marie

*J'aime bien la musique: je joue *** violon et *** flûte. Je suis aussi très sportive: je joue *** tennis, *** hockey et *** ping-pong.*

Martin

*Moi, je joue *** batterie et *** piano. Au collège, je joue *** rugby et *** football. À la maison, je joue *** cartes.*

7 Negatives
la négation

In English, the most common negative form uses the word *not* or *-n't* as in *doesn't, don't, haven't, hasn't*.
In French, you need two words ***ne*** and ***pas*** which go on either side of the verb (*ne* = *n'* in front of a vowel or a silent *h*):

*Je **ne** suis **pas** français.*	I'm **not** French.
*Elle **n'a** **pas** de sandales.*	She has**n't** got any sandals.
*On **ne** regarde **pas** la télé.*	We do**n't** watch TV.

7.1 ne ... jamais, ne ... rien, ne ... plus

There are other negatives which also go on either side of the verb:

ne (or *n'*) ... *jamais* never
ne (or *n'*) ... *rien* nothing/not anything
ne (or *n'*) ... *plus* no longer, no more

*Je **ne** vais **jamais** au cinéma.*
I **never** go to the cinema.
*Elle **ne** mange **rien**.*
She does**n't** eat **anything**.
*Ils **n'**habitent **plus** en France.*
They **no longer** live in France.

A Recopie et complète avec *jamais, rien* ou *plus.*

1 Tu ne fais *** tes devoirs.
2 Il n'est pas travailleur, il ne fait ***.
3 Je range tous les jours, mais il ne range ***.
4 Elle est partie. Elle n'est *** à Paris.
5 Où est mon sac? Je ne vois ***.

7.2 ne ... pas/jamais /plus + de/d' + noun

If you use *ne ... pas/jamais/plus* with a noun, replace *un/une/des* before the noun with *de* (or *d'* in front of a vowel or a silent *h*):

*Il **n'**y a **pas de** pizza/fromage/chips.*
There is**n't any** pizza/cheese/there are**n't any** crisps.
*On **n'a** **plus de** chocolat.*
We have**n't** got **any more** chocolate.
*Je **n'**ai **jamais** **d'**argent.*
I **never** have **any** money.

7.3 Negative + reflexive verbs

To use reflexive verbs in the negative, put *ne* before the reflexive pronoun and *pas/plus/jamais* after the verb:

Je m'amuse bien. Et toi?
I'm having fun. How about you?
*Moi, je **ne** m'amuse **pas**.*
I'm not having fun.

7.4 Negative + perfect tense

In the perfect tense, *ne* or *n'* and *pas/plus/jamais/rien* go either side of the auxiliary (the part of *avoir* or *être*):

*Je **n'**ai **pas** fait la vaisselle.*
I haven't washed up.
*On **n'**a **rien** mangé.*
We haven't eaten anything.
*Ils **ne** sont **jamais** partis.*
They never left.

7.5 Negative + imperative

To form a negative instruction or piece of advice, put *ne* or *n'* and *pas/plus/rien/jamais* either side of the verb:

***Ne** fume **pas**!*	Don't smoke!
***Ne** mangez **jamais** de bonbons!*	Never eat sweets!

7.6 Negative + verb + infinitive

Ne/n' and *pas* go either side of the first verb:

*Je **n'**aime **pas** aller à la pêche.*
I don't like going fishing.
*On **ne** peut **pas** faire les courses.*
We can't do the shopping.

B Mets les phrases au négatif, comme dans l'exemple.

Exemple *Je suis content (pas)*
= Moi, je ne suis pas content.

1. Je m'amuse avec toi. [pas]
2. J'aime lire ce magazine. [pas]
3. Je veux manger des chips. [plus]
4. J'ai compris. [rien]
5. J'ai aimé le film. [pas]
6. Fais le ménage! [jamais]

8 Asking questions

- You can ask questions by making your voice go up at the end:

Tu aimes le chocolat.	*Tu aimes le chocolat?*
You like chocolate.	Do you like chocolate?

- You can start with *est-ce que* ... :
  Est-ce que tu vas au cinéma?
  Are you going to the cinéma?
  Est-ce qu'il y a un bon film?
  Is there a good film on?

- You can use question words:

  – **combien**

Ça fait combien?	How much is it?
Tu es resté combien de temps?	How long did you stay?

  – **comment**

C'était comment?	What was it like?
Tu as voyagé comment?	How did you travel?
Elle est comment?	What does she look like?

  – **où**

Tu es allé où?	Where did you go?

  – **pourquoi**

Tu n'es pas venu. Pourquoi?	You didn't come. Why?

  – **qu'est-ce que**

Qu'est-ce que tu as fait?	What did you do?

  – **quand**

Tu es parti quand?	When did you leave?

  – **quel/quelle**

Tu as quel âge?	How old are you?
Il est quelle heure?	What time is it?

  – **qui**

C'est qui?	Who is it?
Qui aime l'uniforme scolaire?	Who likes school uniform?

A Relie les questions aux réponses.

1. Tu es parti. Pourquoi?
2. Tu es parti où?
3. Tu es parti quand?
4. Tu es parti comment?
5. Tu es parti avec qui?
6. Tu es parti combien de temps?
7. Qu'est-ce que tu as mangé?
8. C'était comment?

a Un an.
b En avion.
c Délicieux!
d Le 1er janvier.
e Du serpent et du crocodile!
f Avec un copain.
g Sur une île du Pacifique.
h Pour explorer le monde!

Answers to grammar activities

2 Adjectives

A **1** vieille **2** belles **3** bonnes **4** gros **5** nouvel **6** beaux

B
1. J'ai deux cousins canadiens.
2. Tu as ta robe verte?
3. Elles ont une petite voiture.
4. Il sort avec une copine anglaise.
5. J'ai fait un gros gâteau.
6. C'est un bon collège?
7. C'est une question intelligente.
8. Je mets mon vieux jean.

3 Possessives

A
1. Ma sœur aime la musique.
2. Ton/Votre père est irlandais.
3. Mes grands-parents habitent en France.
4. Anne a son tee-shirt blanc.
5. Mon frère a douze ans; son anniversaire est en janvier.
6. Ma mère a mes chaussures rouges.
7. Ma cousine Zoé habite avec ses parents.
8. Tes/Vos baskets sont avec ton/votre jean.

4 Prepositions

A Il a mal au pied, aux genoux/aux jambes, au bras, à la main, au nez et à l'oreille.

B
1. Il va en Italie à vélo.
2. Mes parents vont au pays de Galles en train.
3. Tu vas en Écosse en voiture?
4. J'aimerais bien aller en Angleterre en car.
5. Je suis allé au Canada en bus et en avion.

6 Verbs

A **1** habite, habitent **2** aime, déteste **3** vendent **4** participez **5** préférons **6** adore **7** choisis **8** descend, restons

B **1** a **2** ai **3** êtes **4** est **5** as **6** est **7** sont **8** avez **9** suis, sont **10** suis, es

C **1**a, **2**b, **3**b, **4**b, **5**a, **6**a, **7**b, **8**b

D **1** fait **2** écrit **3** mis **4** dansé **5** bu **6** eu **7** pris **8** été

E Aujourd'hui, **j'ai pris** un bon petit déjeuner, mais après **j'ai mangé** des bonbons et **j'ai bu** des sodas, alors **j'ai eu** mal au ventre. **J'ai fait** de l'exercice: **j'ai marché** 30 minutes ce soir, mais après **j'ai surfé** sur Internet, **j'ai joué** sur ma console et ma grand-mère et moi, **on a regardé** la télé.

F **1** partie **2** restées **3** tombé **4** allés **5** allés, rentrés **6** venue, resté

G **1** a **2** est **3** a **4** ont **5** sont **6** as **7** êtes **8** suis

H À quelle heure tu **te** réveilles?
Je **me** réveille avec le soleil!
Quand il se lève, je **me** lève aussi.
Quand les étoiles **s'**amusent avec la lune,
le soleil **se** repose et, derrière les dunes,
il **se** couche et je **me** couche aussi.
Quand les étoiles et la lune **s'**en vont,
toi et moi, nous **nous** levons
et le soleil **se** lève aussi.
Je **me** lave comme lui
avec de l'eau de pluie
et quand il brille, moi, je **m'**habille!

I
1. Bois de l'eau!
2. Faites du sport!
3. Va à la piscine!
4. Prends un bon petit déjeuner!
5. Mangez des légumes!
6. Allez au collège à pied!
7. Mange du poisson!

J Marie: … je joue **du** violon et **de la** flûte. … je joue **au** tennis, **au** hockey et **au** ping-pong.
Martin: … je joue **de la** batterie et **du** piano. … je joue **au** rugby et **au** football. … je joue **aux** cartes.

7 Negatives

A **1** plus/jamais, **2** rien, **3** jamais, **4** plus, **5** rien

B
1. Moi, je ne m'amuse pas avec toi.
2. Moi, je n'aime pas lire ce magazine.
3. Moi, je ne veux plus manger de chips.
4. Moi, je n'ai rien compris.
5. Moi, je n'ai pas aimé le film.
6. Ne fais jamais le ménage!

8 Asking questions

A **1** – h, **2** – g, **3** – d, **4** – b, **5** – f, **6** – a, **7** – e, **8** – c

Expressions utiles

Greetings

Hello	*Bonjour* *Salut* (to a friend)
Hello (after about 6.00 pm)	*Bonsoir*
Good night (when going to bed)	*Bonne nuit*
Goodbye	*Au revoir* *Salut* (to a friend)

The French tend to use *monsieur/madame* in greetings:
Bonjour, monsieur. (e.g. to a shopkeeper)
Bonjour, madame.

Connectives

Connectives are words or phrases that link phrases and sentences together.

also	*aussi*
like	*comme*
and	*et*
but	*mais*
or	*ou*
because	*parce que, car*
when	*quand*
on the other hand	*par contre*
then	*puis/ensuite*
in addition, also	*en plus*

Quantities *les quantités*

See grammar section 1.3 for how to say *some* and *any*.

	noun + *de/d'*
a bottle of (lemonade)	*une bouteille de (limonade)*
a litre of (mineral water)	*un litre d'(eau minérale)*
a glass of (milk)	*un verre de (lait)*
a packet of (sweets)	*un paquet de (bonbons)*
a tin of (tuna)	*une boîte de (thon)*
a kilo of (potatoes)	*un kilo de (pommes de terre)*
100g of (cheese)	*100 grammes de (fromage)*
a slice of (ham)	*une tranche de (jambon)*
a slice/portion of (pizza)	*une part de (pizza)*

Days *les jours de la semaine*

Monday	*lundi*
Tuesday	*mardi*
Wednesday	*mercredi*
Thursday	*jeudi*
Friday	*vendredi*
Saturday	*samedi*
Sunday	*dimanche*

Months *les mois*

January	*janvier*
February	*février*
March	*mars*
April	*avril*
May	*mai*
June	*juin*
July	*juillet*
August	*août*
September	*septembre*
October	*octobre*
November	*novembre*
December	*décembre*

Countries *les pays*

Australia	*l'Australie*
Belgium	*la Belgique*
Burkina Faso	*le Burkina Faso*
Canada	*le Canada*
England	*l'Angleterre*
France	*la France*
Germany	*l'Allemagne*
Great Britain	*la Grande-Bretagne*
Ireland	*l'Irlande*
Northern Ireland	*l'Irlande du nord*
Italy	*l'Italie*
Luxembourg	*le Luxembourg*
New Caledonia	*la Nouvelle-Calédonie*
Scotland	*l'Écosse*
Spain	*l'Espagne*
Switzerland	*la Suisse*
the United States	*les États-Unis*
Wales	*le pays de Galles*
the West Indies	*les Antilles*

The time *l'heure*

What time is it?	*Il est quelle heure?*	It's 7pm (19.00)	*Il est dix-neuf heures.*
It is one o'clock.	*Il est une heure.*	It's 1.15pm (13.15).	*Il est treize heures quinze.*
What time is it at?	*C'est à quelle heure?*	It's 10.30pm (22.30).	*Il est vingt-deux heures trente.*
It is at one o'clock.	*C'est à une heure.*	It's 3.45pm (15.45).	*Il est quinze heures quarante-cinq.*

Il est …

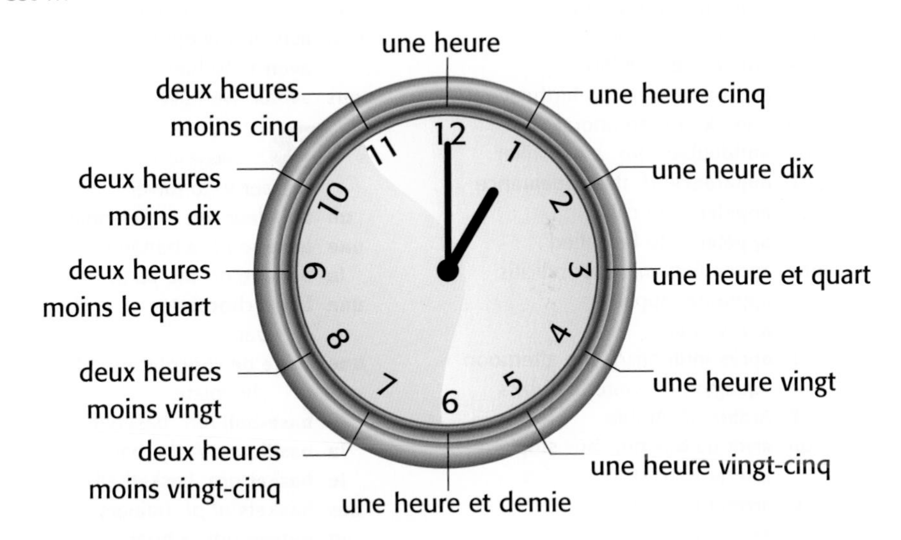

Il est midi.

Il est minuit.

Numbers *les nombres*

0	zéro	17	dix-sept	70	soixante-dix
1	un	18	dix-huit	71	soixante et onze
2	deux	19	dix-neuf	72	soixante-douze
3	trois	20	vingt	73	soixante-treize
4	quatre	21	vingt et un	74	soixante-quatorze
5	cinq	22	vingt-deux	75	soixante-quinze
6	six	23	vingt-trois	76	soixante-seize
7	sept	24	vingt-quatre	77	soixante-dix-sept
8	huit	25	vingt-cinq	78	soixante-dix-huit
9	neuf	26	vingt-six	79	soixante-dix-neuf
10	dix	27	vingt-sept	80	quatre-vingts
11	onze	28	vingt-huit	81	quatre-vingt-un
12	douze	29	vingt-neuf	82	quatre-vingt-deux, …
13	treize	30	trente	90	quatre-vingt-dix
14	quatorze	40	quarante	91	quatre-vingt-onze, …
15	quinze	50	cinquante	100	cent
16	seize	60	soixante		

Glossaire français–anglais

adj	adjective	*pl*	plural noun
nf	feminine noun	*v*	verb
nm	masculine noun		

A

il/elle/on **a** he/she/one has
à at, in, to
une **abeille** *nf* a bee
d' **abord** first
absolument absolutely
d' **accord** OK, agreed
acheter *v* to buy
actif/active *v* active
l' **activité physique** *nf* physical activity
ado teenage
un **adolescent** *nm* a teenager
adorer *v* to love
affreux/affreuse *adj* horrible
africain/africaine *adj* African
âgé/âgée *adj* old
âgé de 11 ans 11 years old
j' **ai** I have
aider *v* to help
aïe! ouch!
aimer *v* to like, to love
j' **aimerais** I'd like
une **aire** *nf* a surface; an area
une **aire de jeux** *nf* a children's playground
l' **Algérie** *nf* Algeria
un **aliment** *nm* a foodstuff
je suis **allé(e)** I went
allemand/allemande *adj* German
aller *v* to go
aller à la pêche *v* to go fishing
Allez. Go; Oh, go on.
Allô. Hello. (on the phone)
alors so, then
américain/américaine *adj* american
l' **Amérique du Sud** *nf* South America
un **ami** *nm* a friend (male)
une **amie** *nf* a friend (female)
l' **amitié** *nf* friendship
amitiés best wishes (in a letter)
s' **amuser** *v* to enjoy oneself
un **an** *nm* a year
j'ai onze ans I am eleven
ancien/ancienne *adj* old, former
anglais/anglaise *adj* English
un **animal (des animaux)** *nm* an animal (animals)
les **animaux sauvages** *nm pl* wild animals
animé/animée *adj* bustling
l' **anneau** *nm* the ring
une **année** *nf* a year
les **années 50** the '50s
un **anniversaire** *nm* a birthday
un **anorak** *nm* an anorak
un **antidouleur** *nm* a painkiller
l' **apparence** *nf* the appearance
appeler *v* to call
s' **appeler** *v* to be called
une **appendicite** *nf* appendicitis
appliqué applied
après after
l' **après-midi** *nm/f* the afternoon
l' **aquagym** *nf* water aerobics
l' **Arabie** *nf* Arabia
un **arrêt de bus** *nm* bus stop
arrêter *v* to stop
s' **arrêter** *v* to stop
arriver *v* to arrive
les **arts martiaux** *nm pl* martial arts
tu **as** you have
un **ascenseur** *nm* a lift, elevator
l' **Asie** *nf* Asia
assez rather, enough
Atchoum! Atchoo!
Athènes Athens
l' **athlétisme** *nm* athletics
atroce *adj* dreadful
atteindre *v* achieve
atteint achieved
Attendez. Hold on.
attendre *v* to wait
attraper *v* to catch
au at, in, to (the)
aujourd'hui today
aussi also, too
autre other
autrement otherwise
l' **Autriche** *nf* Austria
autrichien/autrichienne *adj* Austrian
aux at, to, in (the)
ils/elles **avaient** they had
il/elle **avait** he/she had
il/elle **avait six ans** he/she was six years old
il y **avait** there was
avant before
avec with
l' **aventure** *nf* the adventure
un **aventurier** *nm* an adventurer
vous **avez** you have
un **avion** *nm* a plane
un **avis** *nm* an opinion
à mon **avis** in my opinion
avoir *v* to have
nous **avons** we have

B

baisser *v* to lower
un **baladeur** *nm* a personal stereo
une **banane** *nf* a banana
la **banque** *nf* the bank
une **barre chocolatée** *nf* a chocolate bar
une **barre de chocolat** *nf* a bar of chocolate
le **base-ball** *nm* baseball
la **basilique** *nf* the basilica
le **basket** *nm* basketball
des **baskets** *nf pl* trainers
un **bateau** *nm* a boat
les **bateaux-mouches** *nm pl* river boats
un **bâtiment** *nm* a building
la **batterie** *nf* the drums
beau/belle *adj* beautiful
il fait **beau** it's fine weather
un **beau-père** *nm* a step-father
beaucoup a lot
un **bébé** *nm* a baby
beige *adj* beige
belge *adj* Belgian
la **Belle au bois dormant** *nf* Sleeping Beauty
ben well, yeah
Beurk! Yuk!
une **bibliothèque** *nf* a library
bien well, good
bien sûr of course
bientôt soon
bienvenue welcome
un **billet** *nm* a ticket
un **biscuit** *nm* a biscuit
un **bisou** *nm* a kiss
blanc/blanche *adj* white
Blanche-Neige Snow White
bleu/bleue *adj* blue
blond/blonde *adj* blond
un **blouson** *nm* a bomber jacket
Bof! So so. Dunno!
boire *v* to drink
une **boisson** *nf* a drink
une **boîte** *nf* a box, a tin; a nightclub
bon/bonne *adj* good

un **bonbon** *nm* a sweet
bonne *adj* good
Bonne chance! Good luck!
au **bord de la mer** at the seaside
les **bords** *nm pl* edges, coasts
une **botte** a boot
la **bouche** *nf* the mouth
bouger *v* to move
la **boulangerie** *nf* the baker's
une **boum** *nf* a party
une **bouteille** *nf* a bottle
le **bowling** *nm* bowling alley
un **bras (les bras)** *nm* an arm (arms)
Bravo! Well done!
le **Brésil** *nm* Brazil
la **Bretagne** *nf* Brittany
briller *v* to shine
britannique *adj* British
une **brosse à dents** *nf* a toothbrush
se **brosser les dents** *v* to brush your teeth
il y a du **brouillard** it's foggy
brun/brune *adj* dark-haired
Bruxelles Brussels
j'ai **bu** I drank/I have drunk
un **bureau** *nm* a desk; an office

C

ça it, that
Ça va? How are you?
Ça va. I'm fine.
un **cadeau** *nm* a present
un **café** *nm* a coffee; a café
une **caisse** *nf* a cashdesk, a till
un **caleçon** *nm* a pair of leggings
calme *adj* calm
le **Cameroun** *nm* Cameroon
le **camp** *nm* the camp
le **camp de vacances** *nm* the holiday camp
la **campagne** *nf* the country
camper *v* to camp
un **camping** *nm* a campsite
canadien/canadienne *adj* Canadian
la **cantine** *nf* the canteen
le **Cap Nord** *nm* North Cape
le **capitaine** *nm* the captain
la **capitale** *nf* the capital
car because
un **car** *nm* a coach
les **Caraïbes** *nm pl* the Caribbean
une **carotte** *nf* a carrot
un **carrefour** *nm* a crossroads
une **carte** *nf* a map; a card
une **carte postale** *nf* a postcard
une **casquette** *nf* a cap
cassé/cassée *adj* broken
une **cathédrale** *nf* a cathedral
un **cauchemar** a nightmare
un **CD** *nm* a CD
ce/cela/c' it, that
ce/cet/cette/ces this, these
ce que what
célèbre *adj* famous
célibataire *adj* single
le **centre** *nm* the centre
un **centre commercial** *nm* an indoor shopping centre
le **centre sportif** *nm* the sports centre
le **centre-ville** *nm* the town centre
les **céréales** *nf pl* cereal(s)
ces these
cet this
cette this
ceux those
chacun each one, everyone
une **chaîne** *nf* a channel
un **championnat** *nm* a championship
changer *v* to change
chanter *v* to sing
un **chanteur** *nm* a singer
chaque each
un **château** *nm* a castle
chaud/chaude *adj* hot
j'ai **chaud** I'm hot
il fait **chaud** it's hot
une **chaussette** *nf* a sock
une **chaussure** *nf* a shoe
un **chef** *nm* a boss
une **chemise** *nf* a shirt
cher/chère *adj* expensive, dear
chercher *v* to look for
venir **chercher à la gare** *v* to fetch from the station
un **cheveu (les cheveux)** *nm* a hair (hair)
chez (Juliette) at (Juliette's)
chic *adj* smart
un **chiffre** *nm* a number
la **Chine** *nf* China
chinois/chinoise *adj* Chinese
les **chips** *nm pl* crisps
le **chocolat** *nm* chocolate
choisir *v* to choose
une **chose** *nf* a thing
une **chouette** *nf* an owl
Chouette! Great!
ci et ça this and that
le **ciel** *nm* the sky
le **cinéma** *nm* the cinema
clair/claire *adj* clear
une **classe** *nf* a form, a class
le **clavier** *nm* the keyboard
cliquer *v* to click
le **club des jeunes** *nm* the youth club
un **coca** *nm* a cola
un **coin** *nm* a corner
un **coléoptère** *nm* a beetle
le **collège** *nm* high school
les **colocataires** *nm pl* flatmates
combien how much, how many
une **comédie** *nf* a comedy
un **comédien** *nm* an actor (male)
comme as, like
commencer *v* to start
comment how
un **commissariat** *nm* a police station
la **communauté** *nf* the community, fellowship
complètement completely
compléter *v* to complete
compliqué/compliquée *adj* complicated
composer *v* to compose
un **compositeur** *nm* a composer (male)
comprendre *v* to understand
un **concours** *nm* a competition
la **confiture** *nf* jam
confortable *adj* comfortable
connaître *v* to know
les **connecteurs** *nm pl* connectives
connu/connue *adj* well-known
considérer *v* to consider
une **console** *nf* a games console
content/contente *adj* happy
contre against
par **contre** on the other hand
contre-attaquer *v* to strike back
un **copain** *nm* a (boy)friend
Copenhague Copenhagen
une **copine** *nf* a (girl)friend
le **corps** *nm* the body
un **correspondant** *nm* a penpal (male)
une **correspondante** *nf* a penpal (female)
la **Corse** *nf* Corsica
la **côte** *nf* the coast
à **côté de** next to, beside
le **cou** *nm* the neck
se **coucher** *v* to go to bed
la **couleur** *nf* the colour
un **coup de main** *nm* a helping hand
la **coupe du monde** *nf* the world cup
une **cour** *nf* a courtyard, school playground
courageux/courageuse *adj* brave
un **coureur** *nm* a runner
le **courrier** *nm* letters
la **course** *nf* the race
les **courses** *nf pl* the shopping
court/courte *adj* short
coûter *v* to cost
une **cravate** *nf* a tie
un **crayon** *nm* a pencil
une **crêpe** *nf* a pancake
une **crêperie** *nf* a pancake restaurant

une **crise d'identité** *nf* an identity crisis
je/tu **crois** I/you think
la **cuisine** *nf* the kitchen; cooking
le **cyclisme** *nm* cycling

le **Danemark** *nm* Denmark
dangereux/dangereuse *adj* dangerous
danois/danoise *adj* Danish
dans in
la **danse** *nf* dance
de from, of
débile *adj* stupid
décontracté(e) *adj* relaxed, casual
décoratif/décorative *adj* decorative
déjà already
le **déjeuner** *nm* lunch
déjeuner *v* to have lunch
délavé/délavée *adj* faded
délicieux/délicieuse *adj* delicious
délirant/délirante *adj* wild
demain tomorrow
demander *v* to ask
demi/demie half
un **demi-frère** *nm* a half-brother, a step-brother
une **dent** *nf* a tooth
un/une **dentiste** *nm/nf* a dentist
le **départ** *nm* the start
déplier *v* to unfold
depuis since
dernier/dernière *adj* last
des of the, from the
descendre *v* to go down
désolé/désolée *adj* sorry
le **désordre** *nm* the mess
un **dessert** *nm* a dessert
un **dessin** *nm* a drawing
un **dessin animé** *nm* a cartoon
le **destin** *nm* fate
une **destination** *nf* a destination
détester *v* to hate
deuxième *adj* second
devant in front of
vous **devez** you must
devoir *v* to have to, must
les **devoirs** *nm pl* homework
nous **devons** we must
différent/différente *adj* different
difficile *adj* difficult
le **dîner** *nm* dinner
dîner *v* to dine
dire *v* to say
en **direct** live
discuter *v* to discuss
se **disputer** *v* to quarrel
il/elle **dit** he/she says
un **divertissement** *nm* an entertainment
le **docteur** *nm* the doctor
un **documentaire** *nm* a documentary
un **doigt** *nm* a finger
un **doigt de pied** *nm* a toe
je/tu **dois** I/you must
il/elle/on **doit** he/she/we must
ils/elles **doivent** they must
le **domicile** *nm* home
dommage! *nm* shame!
donner *v* to give
dormir *v* to sleep
j'ai envie de dormir I'm sleepy
le **dos (les dos)** *nm* the back (backs)
doucement softly
droit/droite *adj* right; straight
à **droite** on the right
drôle *adj* funny
du of the, from the
la **durée** *nf* the duration

l' **eau** *nf* water
l' **eau minérale** *nf* mineral water
un **échange** *nm* an exchange
une **école** *nf* a school
écossais/écossaise *adj* Scottish
écouter *v* to listen
un **écran** *nm* a screen
écrire *v* to write
Écris-moi vite. Write to me soon.
un **effet** *nm* an effect
une **église** *nf* a church
elle she, her
elles they (all female)
une **émission** *nf* a programme
en in
il y **en a** there are some
je n' **en dis pas plus** I won't say any more
encore again, more
s' **endormir** *v* to fall asleep
un **enfant** *nm* a child
l' **Enfer** *nm* Hell
ils **enlèvent** they take off
s' **ennuyer** *v* to be bored
énorme *adj* enormous
ensemble together
dans l' **ensemble** altogether
ensuite afterwards, then
entendre *v* to hear
je me suis bien entendu avec I got on well with
enthousiaste *adj* enthusiastic
entier/entière *adj* whole
l' **entraînement** *nm* training
s' **entraîner** *v* to do training
entre between
l' **entrée** *nf* the entry, admission
entrer *v* to go in, come in
j'ai **envie de** I feel like, I'd like to
environ about
envoie send
envoyer *v* to send
une **épaule** *nf* a shoulder
une **époque** *nf* a period of time
une **équipe** *nf* a team, a crew
équipé/équipée *adj* equipped
l' **équitation** *nf* horse riding
tu **es** you are
l' **escalade** *nf* rock climbing
un **escalier** *nm* a staircase
un **espace d'accueil** *nm* a reception area
espagnol/espagnole *adj* Spanish
essayer *v* to try
il/elle/on **est** he/she is/we are
c' **est** it's
l' **est** *nm* the east
et and
Et toi? How about you?
un **étage** *nm* a storey, a floor
c' **était** it was
l' **été** *nm* the summer
vous **êtes** you are
une **étoile** *nf* a star
à l' **étranger** abroad
être *v* to be
l' **étude** *nf* study
faire des études de *v* to study
j'ai **eu** I had
euh erm (used for hesitation)
l' **Europe centrale** *nf* Central Europe
les **Européens** *nm pl* Europeans
l' **Eurostar** *nm* Eurostar (train)
eux them
chez **eux** at their house
un **événement** *nm* an event
exagérer *v* to exaggerate
Excusez-moi. Excuse me.
par **exemple** for example
l' **exercice** *nm* exercise
expliquer *v* to explain

facile *adj* easy
la **faim** *nf* hunger
j'ai **faim** I'm hungry
faire *v* to make, to do
je/tu **fais** I/you make, do
Fais attention. Pay attention.
nous **faisons** we make, do
il/elle/on **fait** he/she makes, does, we make/do
j'ai **fait** I made, did
vous **faites** you make, do
en **famille** with the family
fatigant/fatigante *adj* tiring

fatigué/fatiguée *adj* tired
fausse *adj* see faux
il **faut** you have to, you ought to, you need
faux/fausse *adj* false, wrong
félicitations *nf pl* congratulations
une **femme** *nf* a woman; a wife
une **ferme** *nf* a farm
fermé/fermée *adj* shut, closed
fermer *v* to close
la **fermeture** *nf* closing time
une **fête** *nf* a party, a festival, a celebration
fêter *v* to celebrate
une **feuille** *nf* a sheet of paper, a leaf
un **feuilleton** *nm* a soap opera
un **feu d'artifice** *nm* a fireworks display
les **feux** *nm pl* traffic lights
une **fiche** *nf* a form
une **fiche d'inscription** *nf* registration form
de la **fièvre** a temperature
une **file d'attente** *nf* a queue
une **fille** *nf* a girl; a daughter
un **film policier** *nm* a detective film
un **fils** *nm* a son
un **fils unique** *nm* an only child (boy)
la **fin** *nf* the end
fin juillet at the end of July
j'ai **fini** I've finished
finir *v* to finish
les **fléchettes** *nf pl* darts
la **flûte** *nf* the flute
une **fois** a time, once
deux fois twice
la première fois the first time
ils/elles **font** they make, do
le **foot(ball)** *nm* football
le **footballeur** *nm* the footballer
le **footing** *nm* jogging
une **forêt** *nf* a forest
la **forme** *nf* fitness
en **forme** fit
formidable *adj* great, fantastic
un **foulard** *nm* a (silk) scarf
frais/fraîche *adj* fresh
français/française *adj* French
le **Français** *nm* the Frenchman
francophone *adj* French-speaking
la **Francophonie** *nf* the French-speaking world
un **frère** *nm* a brother
frisé/frisée *adj* curly
des **frites** *nf* chips
froid/froide *adj* cold
j'ai **froid** I'm cold
il fait **froid** it's cold
le **fromage** *nm* cheese
le **front** *nm* the forehead; the front
le **front de mer** *nm* the sea front
un **fruit** *nm* a fruit
les **fruits de mer** *nm pl* seafood
les **fruits secs** *nm pl* dried fruit
fumer *v* to smoke
furieux/furieuse furious

G

les **gagnants** *nm pl* the winners
gagner *v* to win, to earn
une **galette** *nf* a cake, a pancake
gallois/galloise *adj* Welsh
un **garçon** *nm* a boy
garder *v* to look after
une **gare SNCF** *nf* a railway station
un **gars** *nm* lad
un **gâteau (des gâteaux)** *nm* a cake (cakes)
un **gâteau de riz** *nm* a rice cake
gauche *nf* left
à **gauche** on the left
il **gèle** it's freezing
en **général** in general
génial/géniale *adj* great, fantastic
un **genou (les genoux)** *nm* a knee (knees)
des **gens** *nm pl* *people*
gentil/gentille *adj* nice
une **glace** *nf* an ice-cream
la **gorge** *nf* the throat
un **goût** a taste
le **goûter** *nm* afternoon tea
grand/grande *adj* big, tall
une **grand-mère** *nf* a grandmother
un **grand-père** *nm* a grandfather
votre **Grandeur** your Grace
les **grands-parents** *nm pl* grandparents
gratuit/gratuite *adj* free
la **Grèce** *nf* Greece
la **grippe** *nf* the flu
gris/grise *adj* grey
il fait **gris** it's cloudy
gros/grosse *adj* plump, fat
grosses bises love and kisses
la **Guadeloupe** *nf* Guadeloupe
la **guerre** *nf* war
un **guignol** *nm* traditional show
la **guitare** *nf* the guitar
la **guitare électrique** *nf* the electric guitar
la **gym** *nf* gymnastics, exercises

habillé/habillée *adj* smart, dressed-up
s' **habiller** *v* to get dressed
un **habitant** *nm* an inhabitant
habiter *v* to live
un **haricot** *nm* a bean
des **haricots verts** *nm pl* green beans
haut/haute *adj* high, tall
en **haut de** at the top of
hein eh
un **hérisson** *nm* a hedgehog
un **héros** *nm* a hero
une **heure** *nf* an hour
hier yesterday
hier soir last night
l' **hiver** *nm* winter
le **hockey sur glace** *nm* ice hockey
un **homme** *nm* a man
l' **honneur** *nm* honour
l' **hôpital** *nm* the hospital
un **horaire** *nm* a timetable

ici here
idéal/idéale *adj* ideal
une **idée** *nf* an idea
identique *adj* identical
il he, it
il y a there is/there are
il y a (deux) ans (two) years ago
il y en a there are some
une **île** *nf* an island
ils they
immédiatement immediately
un **immeuble** *nm* a block of flats
impressionnant *adj* impressive
impressionné/impressionnée *adj* impressed
l' **Inde** *nf* India
indien/indienne *adj* Indian
l' **info** *nf* information, news
les **informations** *nf pl* information, the news
l' **informatique** *nf* computing, IT
un **instrument** *nm* an instrument
s' **intéresser à** *v* to be interested in
inviter *v* to invite
irlandais/irlandaise Irish
italien/italienne *adj* Italian
l' **ivoire** *nm* ivory

j' I
j'ai I have
jaloux/jalouse *adj* jealous
jamais never
une **jambe** *nf* a leg
le **jambon** *nm* ham
le **Japon** *nm* Japan
japonais/japonaise *adj* Japanese
jaune *adj* yellow
je I
un **jean** *nm* a pair of jeans
le **jeu (les jeux)** *nm* the game (games); gambling; acting
jeune *adj* young

un/une jeune *nm/nf* a young person
les jeux vidéo *nm pl* video games
joli/jolie *adj* pretty
jouer *v* to play
un jour *nm* a day
un journal *nm* a diary
une journée *nf* a day
un juge *nm* a judge
un jumeau *nm* a twin
une jupe *nf* a skirt
un jus *nm* a juice
jusqu'à until, as far as
juste *adj* fair, just

le kayak *nm* kayaking, canoeing
un kiwi *nm* a kiwi fruit

l' the
la the
là -bas over there
un lac *nm* lake
le lait *nm* milk
un laitage *nm* a dairy product
la langue *nf* the language
large *adj* wide
se laver *v* to have a wash
une laverie *nf* a laundrette
le the
une leçon *nf* a lesson
léger/légère *adj* light
un légume *nm* a vegetable
les légumes secs *nm pl* pulses
le lendemain the day after tomorrow
les the
par lettre by letter
leur, leurs their
lever *v* to lift, raise
se lever *v* to get up
une librairie *nf* a bookshop
libre *adj* free
une limonade *nf* a lemonade
lire *v* to read
Lisbonne Lisbon
un lit *nm* a bed
la littérature *nf* literature
un livre *nm* a book
loin *adj* far
Londres London
long/longue *adj* long
loué hired
un loup *nm* a wolf
lui him
la lune *nf* the moon

ma my
un magasin *nm* a shop
maigre *adj* thin, slim
une main *nf* a hand
maintenant now
une mairie *nf* a town hall
mais but
le maïs *nm* maize, corn
une maison *nf* a house
à la maison at home
une majorité *nf* a majority
mal badly
j'ai mal ... à my ... hurts
ça fait mal it hurts
malade *adj* ill
une malédiction *nf* a curse
malgré in spite of
malheureusement unfortunately
la maman *nf* Mum, Mummy
la mamie *nf* Granny
manger *v* to eat
un mannequin *nm* a model
un marché *nm* a market
marcher *v* to walk
se sont mariés got married
le Maroc *nm* Morocco
une marque *nf* a brand-name
marrant/marrante *adj* funny
marron *adj* brown
un match *nm* a match
un match de foot *nm* a football match
une matière *nf* a material, school subject
le matin *nm* the morning
le matou *nm* the tom cat
mauvais/mauvaise *adj* bad
me me, to me
méchant/méchante *adj* nasty, evil
les mecs *nm* guys
un médicament *nm* a medicine
la Méditerranée *nf* the Mediterranean
meilleur/meilleure *adj* better, best
même same, even
le jour même the same day
le ménage *nm* housework, cleaning
ménager/ménagère *adj* household
les tâches ménagères household chores
la mer *nf* the sea
une mère *nf* a mother
mes my
la météo *nf* the weather forecast
un métier *nm* a trade, profession
le métro *nm* the underground
mettre *v* to put (on)
se mettre à *v* to sit down at
mettre le couvert *v* to set the table
miam! yum!
midi midday, lunchtime
mieux better, best
mignon/mignonne *adj* cute
un milk-shake *nm* a milkshake
des milliers de thousands of
mimer *v* to mime
mince *adj* thin, slim
j'ai mis I have put/worn, I put/wore
j'ai mis le couvert I set the table
une mobylette *nf* a moped
moche *adj* ugly, rotten
la mode nf fashion
à la mode fashionable
moi me
moins less
moins de less than
moins fatigant que less tiring than
un mois *nm* a month
mon my
le monde *nm* the world
le monde occidental *nm* the Western world
monter *v* to go up, climb
à la montagne in the mountains
en montagne in the mountains
une montre *nf* a watch
un morceau *nm* a piece
mort/morte *adj* dead
un mot *nm* a word
une moto *nf* a motorbike
les moyens de transport *nm pl* means of transport
la musculation *nf* body-building
un musée *nm* a museum
un musicien *nm* a musician
la musique *nf* music

n' ... pas not
nager *v* to swim
la natation *nf* swimming
la nationalité *nf* the nationality
ne … jamais never
ne ... pas not
né/née *adj* born
il est né he was born
il neige it's snowing
le nez (les nez) *nm* a nose (noses)
ni … ni neither … nor
le Noël *nm* Christmas
noir/noire adj black
un nom *nm* a name, noun
non no
le nord *nm* the north
normalement normally
la Norvège *nf* Norway
nos our
noter *v* to note
notre our
nous we, us
nouveau/nouvelle *adj* new

la Nouvelle-Zélande *nf* New Zealand
une nuit *nf* a night
nul nil, rubbish
un numéro *nm* a number

O

un objet *nm* an object
un œil (les yeux) *nm* an eye (eyes)
un œuf *nm* an egg
un office de tourisme *nm* a tourist office
on we, people, one
on nous le dit they tell us
ils/elles ont they have
opérer *v* to operate
un orage *nm* a thunderstorm
il y a de l'orage it's stormy
une orange nf an orange
ordinaire *adj* ordinary
un ordinateur *nm* a computer
à vos ordres yes sir!
une oreille *nf* an ear
organiser *v* to organize
un orgue *nm* an organ
ou or
où where
Ouah! Wow!
Ouais! Yey! Yeah!
l' ouest *nm* the west
oui yes
Ouille! Ouch!
ouvert/ouverte *adj* open
l' ouverture *nf* opening

P

le pain *nm* bread
palpitant/palpitante *adj* thrilling
un pamplemousse *nm* a grapefruit
un panier *nm* a basket
un pantalon *nm* a pair of trousers
papa *nm* Dad
papy *nm* Grandad
par by
par jour/mois per day/month
un parc *nm* a park
parce qu'/que because
pareil/pareille *adj* similar
les parents *nm pl* parents
parfait/parfaite *adj* perfect
le parfum *nm* the perfume, flavour
parisien/parisienne *adj* Parisian
parler *v* to talk
de ta part on your part, of you
partager *v* to share
je suis parti(e) I left
participer *v* to take part
partir *v* to leave
à partir de from
pas not
pas cher cheap
pas de problème no problem
pas mal not bad
passer *v* to pass; to spend (time)
se passer *v* to happen
un passe-temps *nm* a hobby
des pâtes *nf pl* pasta
le patinage *nm* ice skating
une patinoire *nf* an ice rink
pauvre *adj* poor
payé/payée *adj* paid
un pays *nm* a country
les Pays-Bas *nm pl* the Netherlands
la pêche *nf* peach; fishing
pêcher *v* to fish
une peinture *nf* a painting
pendant during
penser *v* to think
un père *nm* a father
permettre *v* to allow
un personnage *nm* a character
une personne *nf* person
personnellement personally
petit/petite adj small
le petit déjeuner *nm* breakfast
une petite copine *nf* girlfriend
une petite fille *nf* a little girl
un peu *nm* a little bit
peu connu not very well known
peu populaire not very popular
il/elle/on peut he/she/we can
peut-être perhaps
ils/elles peuvent they can
je/tu peux I/you can
une pharmacie *nf* a pharmacy, chemist's
une photo *nf* a photograph
le piano *nm* the piano
une pièce *nf* a room; a coin
un pied *nm* a foot
à pied on foot
pieds nus barefoot
le ping-pong *nm* table tennis
une piscine *nf* a swimming pool
une piscine chauffée *nf* a heated swimming pool
une piste *nf* a track, ski slope
une place *nf* a square
une plage *nf* a beach
plairait aux would appeal to
la plaisance *nf* pleasure
plaît: s'il te/vous plaît please
un plan *nm* a map
un planning *nm* a rota
plein/pleine *adj* full
plein tarif full price
il pleut it's raining
pleurer *v* to cry
plier *v* to bend, to fold
la pluie *nf* the rain
plus more, plus
le/la plus proche the nearest
plus de more than
en plus in addition
plus important que more important than
plus tard later
plusieurs several
un poisson *nm* a fish
une pomme *nf* an apple
les pompiers *nm pl* the fire brigade
un port *nm* a harbour, a port
un porte-clés *nm* a key-ring
porter *v* to wear; to carry
le Portugal *nm* Portugal
poser *v* **une question** to ask a question
la poste *nf* the post office
poster *v* to post
un pote *nm* a mate
un pouce *nm* a thumb
un poulet *nm* a chicken
une poupée *nf* a doll
pour for
pourquoi why
vous pouvez you can
pouvoir *v* to be able to
nous pouvons we can
pratique *adj* practical
préféré/préférée *adj* favourite
préférer *v* to prefer
premier/première *adj* first
prendre *v* to take
prendre vie *v* to come to life
Prends … Take …
Prenez … Take …
un prénom *nm* a first name
préparer *v* to prepare
se préparer *v* to get ready
près de near
présenter *v* to introduce
se présenter *v* to introduce yourself
j'ai pris I took/went by
un prix (les prix) *nm* a prize (prizes)
un problème *nm* a problem
prochain/prochaine *adj* next
proche *adj* near
une productrice *nf* a producer (female)
un prof *nm* a teacher
un professeur *nm* a teacher
une promenade *nf* a walk
promener *v* to take for a walk
se promener *v* to go for a walk
j'ai pu I could
puis then
un pull *nm* a sweater

Q

qu'est-ce que what
qu'est-ce qui (ne va pas) what (is the matter)
quand when
un quart *nm* a quarter

un **quartier** *nm* an area
quatrième *adj* fourth
que that, what, which, than
quel/quelle what, which
à **quelle heure** at what time
quelque chose something
quelquefois sometimes
qui who
quitter *v* to leave
Ne quitte(z) pas. Hold on. Don't go away.
quoi what

R

raconter *v* to tell
raide *adj* straight
une **raison** *nf* a reason
raisonnable *adj* reasonable
ranger *v* to tidy
rapide *adj* quick
rarement rarely
rayé/rayée *adj* striped
recevoir *v* to receive
une **récompense** *nf* reward
reconnaître *v* to recognize
la **récré** *nf* break
en **réduisant** by cutting down
regarder *v* to look at, to watch
un **régime** *nm* a diet
une **région** *nf* an area, a region
régulièrement regularly
se **relaxer** *v* to relax
se **remettre à** *v* to go back to
ils sont **remontés** they got back on
une **remorque** *nf* a trailer
un **rendez-vous** *nm* a meeting, a date
la **rentrée** *nf* back to school time (September)
rentrer *v* to go back (home)
répéter *v* to repeat
une **répétition** *nf* a rehearsal
un **répondeur** *nm* an answerphone
une **réponse** *nf* an answer
se **reposer** *v* to rest
se **ressembler** *v* to be alike, look the same
rester *v* to stay
un **résultat** *nm* a result
en **retard** late
le **retour** *nm* the return
retourner *v* to return
retrouver *v* to meet
se **retrouver** *v* to meet up
réussir *v* to succeed
un **rêve** *nm* a dream
un **réveil** *nm* an alarm clock
se **réveiller** *v* to wake up
rêver *v* to dream
un **rhume** *nm* a cold
le **rhume des foins** *nm* hayfever
riche *adj* rich
ridicule *adj* ridiculous
rien de grave nothing serious
une **rivière** *nf* a river
le **riz** *nm* rice
une **robe** *nf* a dress
un **roi** *nm* a king
rond/ronde *adj* round
rose *adj* pink
la **rosée** *nf* the dew
rouge *adj* red
une **roulotte** *nf* a horse-drawn caravan
rousse *adj* *see* **roux**
une **route** *nf* a road, route
roux/rousse *adj* red-haired, ginger
une **rue** *nf* a road

s' himself, herself, themselves
sa his, her
je/tu **sais** I/you know
une **salade** *nf* a salad, a lettuce
une **salade de fruits** *nf* a fruit salad
une **salle à manger** *nf* a dining room
une **salle de spectacle** *nf* a hall
une **salle de jeux** *nf* a games room
un **salon** *nm* a living room
une **sandale** *nf* a sandal
sans without
la **santé** *nf* health
sauf except, apart from
scolaire *adj* school
se himself, herself, themselves
une **séance** *nf* a performance, a meeting
secret/secrète *adj* secret
sélectionné *adj* selected
une **semaine** *nf* a week
une **série** *nf* a series
sérieux/sérieuse *adj* serious
serré/serrée *adj* tight
ses his, her
seulement only
sévère *adj* strict
un **short** *nm* a pair of shorts
si if
le **SIDA** *nm* Aids
un **siècle** *nm* a century
un **singe** *nm* a monkey
un **site web** *nm* a website
situé/située *adj* situated
le **skate** *nm* skateboarding
le **ski** *nm* ski-ing
un **soda** *nm* a fizzy drink
une **sœur** *nf* a sister
la **soif** *nf* thirst
j'ai **soif** I'm thirsty
un **soir** *nm* an evening
Sois sympa. Be nice.
le **soleil** *nm* the sun
il y a du **soleil** it's sunny
sommeiller *v* to doze
un **sommet** *nm* a peak
son his, her
un **sondage** *nm* a survey
sonner *v* to ring
ils/elles **sont** they are
une **sortie** *nf* an outing, an exit
sortir *v* to go out
sous under
un **souvenir** *nm* a souvenir
souvent often
spécialement especially
sportif/sportive *adj* sporty
un **stade** *nm* a stadium
le **sucre** *nm* sugar
les **sucreries** *nf pl* sweets
un **succès** *nm* a success
le **sud** *nm* the south
le **sud-est** *nm* the south-east
le **sud-ouest** *nm* the south-west
suffire *v* to be enough
je **suis** I am
suisse *adj* Swiss
la **suite** *nf* what follows
à la **suite de** after
suivre *v* to follow
à **suivre** to be continued
un **supermarché** *nm* a supermarket
sur on
sûr/sûre *adj* sure, certain
le **surf** *nm* surf, surfing
surfer *v* to surf
surtout especially
un **sweat** *nm* a sweatshirt
sympa *adj* kind, nice
un **symptôme** *nm* a symptom

ta your
une **tâche ménagère** *nf* a household chore
les **talons** *nm pl* heels
tard *adj* late
plus tard later
le **tarif réduit** *nm* the reduced price
les **tarifs** *nm pl* prices
une **tarte** *nf* a tart, a pie
une **tarte aux pommes** *nf* an apple tart
des **tartelettes de fruits** *nf pl* fruit tartlets
une **tartine** *nf* a slice of bread and butter
une **tartine au chocolat** *nf* bread with chocolate spread
une **tasse** *nf* a cup, a mug
un **taxi** *nm* a taxi
la **technologie** *nf* technology
un **tee-shirt** *nm* a t-shirt
la **télé** *nf* TV
Téléphone-moi. Ring me.

la **télévision** *nf* television
tellement so (much)
le **temps** *nm* the weather; time
de **temps en temps** from time to time
une **tenue** *nf* an outfit
se **terminer** *v* to finish
les **territoires français** *nm pl* French terrritories
tes your
une **tête** *nf* a head
un **théâtre** *nm* a theatre
le **tir à l'arc** *nm* archery
toi you
tomber *v* to fall
ton your
tôt early
toucher *v* to touch
toujours always
un **tour** *nm* a trip
une **tour** *nf* a tower
un **touriste** *nm* a tourist
touristique *adj* for tourists
une **tournée** *nf* a tour
tourner *v* to turn
Tournez à … Turn to …
tous all
tous les jours every day
tous les matins every morning
tous les quatre all four
tous les samedis every Saturday
tousser *v* to (have a) cough
tout/toute/tous/toutes everything, all
tout de suite at once
tout droit straight ahead
toutes all
un **train** *nm* a train
en **train de** in the middle of
un **tramway** *nm* a tram
une **transfusion sanguine** *nf* a blood transfusion
le **travail** *nm* work
travailler *v* to work
travailleur/travailleuse *adj* hard-working
traverser *v* to cross
très very
triste *adj* sad
trop too, too much
tu you (to a friend or close relative)
typique *adj* typical

un/une a, an, one
les **urgences** *nf pl* Casualty, A and E

il/elle/on **va** he/she goes, we go
ça me **va** it suits me
les **vacances** *nf pl* holidays
vaincu overcome
je **vais** I go
la **vaisselle** *nf* the washing-up
une **vallée** *nf* a valley
la **vanille** *nf* vanilla
varié/variée *adj* varied
vaste *adj* vast
un **vélo** *nm* a bike
faire du vélo *v* to go cycling
venez come
venir *v* to come
il y a du **vent** it's windy
en **vente** for sale
un **ventre** *nm* a stomach
je suis **venu(e)** I came
un **verre** *nm* a glass
vers towards, about (time)
vert/verte *adj* green
une **veste** *nf* a jacket
les **vestiaires** *nm pl* the changing-rooms
un **vêtement** *nm* an item of clothing
ils/elles **veulent** they want
il/elle/on **veut** he/she wants, we want
veut dire means
je **veux bien** I'd like that
la **viande** *nf* meat
une **victoire** *nf* a victory
une **vidéo** *nf* a video
une **vidéothèque** *nf* a video library
la **vie** *nf* life
vieille old
Vienne Vienna
viens come
il/elle/on **vient** he/she comes, we come
vieux/vieille *adj* old
la **ville** *nf* the town
en **ville** in town, into town
violet/violette *adj* purple
le **violon** *nm* the violin
un **visage** *nm* a face
une **visite** *nf* a visit
visiter *v* to visit
une **vitamine** *nf* a vitamin
vite quickly
vive … long live ...
vivement … roll on …
voici here is, here are
voilà there you are
la **voile** *nf* sailing
voir *v* to see
un **voisin** *nm* a neighbour (male)
une **voisine** *nf* a neighbour (female)
il/elle **voit** he/she sees
une **voiture** *nf* a car
vomir *v* to be sick
j'ai envie de vomir I feel sick
ils/elles **vont** they go
vos your
votre your
je **voudrais** I would like
vouloir *v* to want
vous you (to an adult you don't know well, or to more than one person)
un **voyage** *nm* a journey
voyager *v* to travel
vrai/vraie *adj* true
vraiment really
j'ai **vu** I saw
la **vue** *nf* the view

le **week-end** *nm* the weekend
un **western** *nm* a western

y there
il **y a** there is, there are
y compris included
on **y va** let's go
j' **y vais** I'm off
un **yaourt** *nm* a yoghurt
les **yeux** *nm pl* eyes

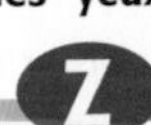

un **zoo** *nm* a zoo
zut! damn!

Glossaire anglais–français

adj	adjective	*pl*	plural noun
nf	feminine noun	*v*	verb
nm	masculine noun		

A

a un/une
abroad à l'étranger
afternoon l'après-midi *nm/f*
afterwards ensuite
I **agree.** Je suis d'accord.
also aussi
always toujours
I **am** je suis
I **am (11).** J'ai (11) ans.
amusing amusant/amusante *adj*
and et
apple une pomme *nf*
Are there? Il y a ...?
you **are** tu es (to a friend or relative), vous êtes (to more than one person, someone you don't know well)
we **are** on est (informal), nous sommes (more formal)
they **are** ils/elles sont
arm le bras *nm*
at à
at (my) house chez (moi)
at the weekends le week-end
... **away** (distance) à ...
one kilometre away à un kilomètre
awful affreux/affreuse *adj*

B

back le dos *nm*
badly mal
baker's la boulangerie *nf*
bank la banque *nf*
to **be** être *v*
beach la plage *nf*
because parce que
bed le lit *nm*
big grand/grande *adj*
bikini un bikini *nm*
a **bit** un peu
black noir/noire *adj*
blond blond/blonde *adj*
blue bleu/bleue *adj*
boat un bateau *nm*
body le corps *nm*
bomber jacket un blouson *nm*
book le livre *nm*
boots des bottes *nf pl*
boring pas marrant
breakfast le petit déjeuner *nm*
brown brun/brune (hair); marron (eyes) *adj*
to **brush (one's teeth)** se brosser (les dents)
but mais

C

I'm **called** je m'appelle
you're **called** tu t'appelles
cap une casquette *nf*
car une voiture *nf*
cartoon un dessin animé *nm*
castle un château *nm*
casual décontracté/décontractée *adj*
Casualty urgences *nf*
cheap pas cher *adj*
chemist la pharmacie *nf*
children's programme une émission pour la jeunesse *nf*
chores les tâches (ménagères) *nf pl*
church l'église *nf*
clothes les vêtements *nm pl*
It's **cloudy.** Il fait gris.
coach le car *nm*
I've a **cold.** J'ai un rhume.
I'm **cold.** J'ai froid.
It's **cold.** Il fait froid.
colour la couleur *nf*
comfortable confortable *adj*
computer l'ordinateur *nm*
to **cook** faire la cuisine
I've a **cough.** Je tousse.
country le pays *nm*
crisps les chips *nf pl*
crossroads un carrefour *nm*
cycling le vélo *nm*
to go **cycling** faire du vélo

D

dangerous dangereux/dangereuse *adj*
I **disagree.** Je ne suis pas d'accord.
to **do** faire *v*
Do you have ...? Tu as ...? (to a friend or relative), Vous avez ...? (to more than one person, someone you don't know well)
doll une poupée *nf*
dress une robe *nf*
to **drink** boire *v*
drums la batterie *nf*
duffel coat un duffel-coat *nm*
dungarees une salopette *nf*
during pendant

E

to **eat** manger *v*
English anglais/anglaise *adj*
Eurostar l'Eurostar *nm*
(in the) **evening** le soir *nm*
every day tous les jours
expensive cher/chère *adj*
eye(s) l'œil *nm* (les yeux)

F

face le visage *nm*
false faux/fausse *adj*
far loin
favourite préféré/préférée *adj*
I'm **fine.** Ça va.
finger le doigt *nm*
to **finish** finir *v*
first le premier/la première *nm/nf*
first of all d'abord
fishing la pêche *nf*
flat un appartement *nm*
flu la grippe *nf*
It's **foggy.** Il y a du brouillard.
foot le pied *nm*
for pour
formal habillé/habillée *adj*
It's **freezing.** Il gèle.
French français/française *adj*
friend (male) un ami, un copain *nm*
friend (female) une amie, une copine *nf*
friends les amis, les copains *nm pl,* les amies, les copines *nf pl*
in **front of** devant
fruit les fruits *nm pl*

G

games console une console *nf*
game show un jeu *nm*
to **get up** se lever

ginger (hair) (les cheveux) roux/rousse *adj*
gloves les gants *nm pl*
to **go (to)** aller (à)
good bien *adj*
I've **got** j'ai
Great! Super! Génial!
green vert/verte *adj*
grey gris/grise *adj*
guitar la guitare *nf*

H

hair les cheveux *nm pl*
hand la main *nf*
handy pratique *adj*
harbour le port *nm*
hard difficile *adj*
he/she **has** il/elle a
to **have** avoir *v*
I **have** j'ai …
I don't **have** je n'ai pas …
they **have** ils/elles ont
we **have** on a (informal), nous avons (formal)
you **have** tu as (to a friend or relative), vous avez (to more than one person, someone you don't know well)
Have you got (any pets)? Tu as (un animal)?
I **haven't got** je n'ai pas …
I've **hayfever.** J'ai le rhume des foins.
he il
head la tête *nf*
health la santé *nf*
hello bonjour ; allô (on the phone)
her sa, son (before a vowel or silent h), ses
here ici
his son, ses
hobbies les passe-temps *nm pl*
to do **homework** faire les devoirs
horrible affreux/affreuse *adj*
to go **horse riding** faire de l'équitation
I'm **hot.** J'ai chaud.
It's **hot.** Il fait chaud.
hour une heure *nf*
housework (cleaning) le ménage *nm*
How are you? Ça va?
How much? Combien?
How old are you? Tu as quel âge? (to a friend or relative), Vous avez quel âge? (to more than one person, someone you don't know well)
I'm **hungry.** J'ai faim.

I

I je, j'
in (France) en (France)
in (my bag) dans (mon sac)
in front of devant
in town en ville
interesting intéressant/intéressante *adj*
Irish irlandais/irlandaise *adj*
he/she **is** il/elle
Is there …? Il y a …?
it ça
it's … c'est …

J

jacket une veste *nf*
jeans un jean *nm*

K

keyboard le clavier *nm*
key-ring le porte-clés *nm*
knee le genou *nm*

L

last weekend le week-end dernier
late en retard
turn **left** tournez à gauche
leg la jambe *nf*
like, as comme
I **like …** J'aime …
I'd **like …** Je voudrais/J'aimerais bien …
I don't **like …** Je n'aime pas …
to **listen to music** écouter *v* de la musique
to **live** habiter *v*
to **look at** regarder *v*
lots of beaucoup de
I **love …** J'adore …

M

to **make** faire *v*
market le marché *nm*
Me too. Moi aussi.
to **meet friends** retrouver *v* des amis
mineral water l'eau minérale *nf*
moped la mobylette *nf*
motorbike la moto *nf*
mouth la bouche *nf*
mug une tasse *nf*
my mon, ma, mes
at **my house** chez moi

N

name le nom *nm*
My **name is …** Je m'appelle …
nationality la nationalité *nf*
near près
neck le cou *nm*
never ne … jamais
news les informations *nf pl*
next to à côté de
nice sympa *adj*
nose le nez *nm*
I'm **not** je ne suis pas

O

occasionally de temps en temps
of de
OK d'accord
It's **OK.** Bof. Ça va.
on sur
on (Mondays) le (lundi)
once (a week) une fois (par semaine)
one un/une
opposite en face de
or ou
ouch! aïe!/ouille!
outfit la tenue *nf*

P

perfume le parfum *nm*
pink rose *adj*
plane l'avion *nm*
to **play sport** faire *v* du sport
playground une aire de jeux *nf*
please s'il te plaît (to a friend or relative), s'il vous plaît (to more than one person, someone you don't know well)
post office la poste *nf*
postcard la carte postale *nf*
poster une affiche *nf*
practical pratique *adj*
programme une émission *nf*
pullover un pull *nm*
purple violet/violette *adj*
to **put on** mettre *v*

Q

quick rapide *adj*
quite assez

R

railway station la gare SNCF *nf*
It's **raining.** Il pleut.
raincoat un imperméable *nm*
rather plutôt
reading la lecture *nf*
really vraiment
red rouge *adj*

turn **right** tournez à droite
road la rue *nf*
It's **rubbish!** C'est nul!

S

to go **sailing** faire *v* de la voile
scarf (woollen) une écharpe *nf*
high **school** le collège *nm*
second le/la deuxième *nm/nf*
See you soon. À bientôt.
sensible sérieux/sérieuse *adj*
series une série *nf*
to **set the table** mettre *v* le couvert
she elle
shelves une étagère *nf*
shirt une chemise *nf*
shoes des chaussures *nf pl*
to go **shopping** faire *v* les courses
shopping centre un centre commercial *nm*
short hair les cheveux courts
shorts un short *nm*
shoulder une épaule *nf*
to feel **sick** avoir *v* envie de vomir
to go **skateboarding** faire *v* du skate
skirt une jupe *nf*
to feel **sleepy** avoir *v* envie de dormir
slippers les chaussons *nm pl*
smart chic *adj*
to **smoke** fumer *v*
It's **snowing.** Il neige.
soap opera un feuilleton *nm*
socks des chaussettes *nf*
some des
sometimes quelquefois
I'm **sorry.** Je suis désolé/désolée.
It's **spelt** … Ça s'écrit …
to do **sport** faire *v* du sport
sports programme une émission sportive *nf*
sporty sportif/sportive *adj*
to **start** commencer *v*
(train) **station** la gare SNCF *nf*
stomach le ventre *nm*
It's **stormy.** Il y a de l'orage.
straight hair les cheveux raides
straight ahead tout droit
stupid débile *adj*
sun hat un chapeau de soleil *nm*
It's **sunny.** Il fait du soleil.
Super! Super!
to go **surfing** faire du surf *nm*
sweatshirt un sweat *nm*
sweets des bonbons *nm pl*
to **swim** nager *v*
to go **swimming** faire *v* de la natation
swimming pool la piscine *nf*

T

table tennis le ping-pong *nm*
to **take** prendre *v*
teacher le professeur *nm*
teeth les dents *nf pl*
I've a **temperature.** J'ai de la fièvre.
It's **terrible.** C'est nul.
the le/la/les
there are … il y a …
there aren't any … il n'y a pas de …
there is … il y a …
there isn't any … il n'y a pas de …
they ils/elles
third troisième *adj*
I'm **thirsty.** J'ai soif.
throat la gorge *nf*
thumb le pouce *nm*
to **tidy** ranger *v*
a **tie** une cravate *nf*
to à
today aujourd'hui
toe(s) le doigt de pied *nm* (les doigts de pied)
too aussi
tooth la dent *nf*
tourist office l'office de tourisme *nm*
town la ville *nf*
town centre le centre-ville *nm*
town hall la mairie *nf*
traffic lights les feux *nm pl*
trainers les baskets *nf pl*
tram le tramway *nm*
trips les excursions *nf pl*
trousers un pantalon *nm*
true vrai/vraie *adj*
t-shirt un tee-shirt *nm*
to **turn** tourner *v*
twice (a week) deux fois (par semaine)

U

ugly moche *adj*
underground le métro *nm*

V

very très
violin le violon *nm*

W

to **wake up** se réveiller *v*
to **wash up** faire *v* la vaisselle
to **watch (TV)** regarder *v* (la télé)
water l'eau *nf*
we on (informal), nous (more formal)
to **wear** porter *v*
weather (programme) la météo *nf*
week la semaine *nf*
well bien
I **went** je suis allé(e)
What …? Qu'est-ce que …?
What about you? Et toi?
What is … **like?** Comment est …?
What is there …? Qu'est-ce qu'il y a …?
What's your name? Tu t'appelles comment?
When? Quand?
Where? Où?
Where are …? Où sont …?
Where do you live? Tu habites où?
Where is …? Où est …?
Which …? Quel …?/Quelle …?
white blanc/blanche *adj*
Who? Qui?
Why? Pourquoi?
It's **windy.** Il y a du vent.
I **would like** … Je voudrais …

Y

yellow jaune *adj*
yes, I've got ... oui, j'ai …
yesterday hier
you tu (to a friend or relative), vous (to more than one person, someone you don't know well)
your ton/ta/tes
at **your house** chez toi
youth club le club des jeunes *nm*